LUX

Fiona Rempt

Met illustraties van
Kristel Steenbergen

Pimento

Voor Elza

De Nederlandse Kinderjury 2010

www.pimentokinderboeken.nl
www.fionarempt.nl

Tekst © 2009 Fiona Rempt
© 2009 Fiona Rempt en Pimento, Amsterdam
Illustraties © 2009 Kristel Steenbergen
Ontwerp omslag en binnenwerk Hannah Weis

ISBN 978 90 499 2365 5
NUR 282

OP WEG IN EEN GRIJZE MUIS

We zijn bij Köln, Duits voor Keulen. Bijna
2 uur onderweg. Nog 13 ½ uur te gaan.
Zucht... Ik heb me nog nooit zo verveeld en
het stinkt hier ook nog! Krijn heeft een
scheet gelaten. Zijn winden ruiken net
zo zuur en weeïg als hijzelf. Ik ben het
zieligste meisje op aarde, omdat ik met
dit scharminkel op vakantie moet.

We gaan kamperen in Italië aan de kust, in Santa Marina. Normaal rijden Tata en ik op de motor of in het mobileum. We hebben er samen een aquarium met gekleurde vissen op geschilderd en iedereen vindt hen prachtig, maar Marcia natuurlijk niet. Veel te opzichtig, zegt ze. Daarom gaan we met haar auto op vakantie.

Dit is onze camper. Tata heeft hem het mobileum genoemd, omdat het een rijdend (mobiel) museumpje is.

Ze noemt het een spacewagen, maar ik weet niet wat er space aan is, want hij lijkt op een enorme grijze muis.

In de grijze muis, van groot naar klein:

TATA is mijn vader. Dat betekent papa in zigeunertaal. Ik ben niet de enige die hem zo noemt, want het is ook zijn artiesten-naam. Tata is kunstenaar, maar zelf zegt hij liever dat hij avonturier is. Niet dat hij hoge bergen beklimt of naar schatten graaft, maar hij houdt ervan om spannende en gekke dingen te doen. Tata is heel beroemd en rijk. Hij zegt dat hij niet veel vrienden heeft, maar hij kent iedereen. Of dat lijkt zo doordat iedereen hem kent. Bijna alle belangrijke mensen in de wereld hebben wel een kunstwerk van hem gekocht. Met Tata is het nooit saai. (Totdat hij Marcia ontmoette tenminste.)

tata

Tata draagt altijd een baseballpetje. Als hij een mooie gedachte of een goed idee heeft, zet hij zijn pet achterstevoren. Een epiefaanie* noemt hij dat en het betekent een openbaring of een moment van helderheid. Het is een van zijn lievelingswoorden.

*Ik moet opzoeken hoe je dat schrijft.

MARCIA is de nieuwe vriendin van Tata en de grootste truttenbel die je je kunt voorstellen. Ik begrijp niet wat hij in haar ziet! Tata zegt altijd dat hij niet van mensen houdt die zeuren, maar Marcia is de zeurkoningin. Ze is bleek, truttig en een verschrikkelijke genene kattenkop.

Marcia is fotomodel, maar daar later meer over.

Vijf lagen make-up en nog ziet ze bleek.

← marcia

KRIJN is Marcia's verwende zoon.

Hij is zoooooo S A A I dat ik er al moe van wordt om over hem te vertellen. Hij is 13 jaar en vindt zichzelf een hele bink, maar dat is hij **helemaal niet.**

krijn
↙

En dit ben ik, LUX, 8 jaar. Mijn naam betekent licht of zon en Tata zegt dat hij me zo heeft genoemd omdat ik het zonnetje in zijn leven ben. Ik zou wel net zo'n belangrijk kunstenaar willen worden als Tata, maar kan lang niet zo goed tekenen als hij. Ik wil later graag iets bijzonders gaan doen, zoals uitvinder worden of bij het circus gaan. Hopelijk vind ik iets leuks, waar ik goed in ben. Als ik deze vakantie tenminste overleef...

dit ben ik...

Ik draag bijna altijd een tuinbroek of in ieder geval iets met veel zakken. Ik heb graag wat spullen bij me, want dan hoef ik me nooit te vervelen.

9

Wat ik nu allemaal in mijn zakken heb:
- een potlood
- twee pennen (rood en zwart)
- minischrijfblokje, met aan de bovenkant
  een miniringbandje
- een gummetje in de vorm van een
  wereldbol
- een zakmes met een mesje, schaartje,
  blikopener en zaagje eraan
- een briefje van Kim met de tekst: wie
  dit leest is gek...
- een etiket van een fles met een
  tekening erop van een olifant die zijn
slurf in de vorm van een hartje krult
(olifanten zijn mijn aller-lievelings-
  dieren!)
- een half pakje
kauwgom
- twee zuurtjes
(geel en rood)
- foto van Elvis
Presley (heb

ik stieken uit een tijdschrift bij de
tandarts gescheurd)
- mijn geluksdubbeltje (dit is een heel
 klein, oud muntje van toen er nog guldens
  waren. Ik heb het vorige week gevonden in
 de keukenla en mocht het van Tata
houden. Hopelijk brengt het me echt geluk,
net als bij Dagobert Duck. Kan ik wel
gebruiken...)

Ik heb dit boekje
twee jaar geleden van
Tata gekregen. Hij had
dit briefje erop geplakt.

Voor als ik.
niet naar je
luister en je
toch je verhaal
kwijt wilt.
Al kun je het
altijd nog een
keer proberen
Knus Tata

Een knus is een
knuffel en een
kus samen.

Dit is trouwens geen dagboek,
 maar een krabbelboek. Dat is
eigenlijk hetzelfde, maar als je zegt
 dat je een dagboek hebt, worden mensen
meteen nieuwsgierig en gaan ze het
stieken lezen. Een krabbelboek vinden ze
 niet interessant. Dat hoop ik.

11

NOG 10 UUR

Eigenlijk is het mama's schuld, dat ik hier nu ben. Als zij er nog was, zou Tata nooit met Marcia zijn gegaan.

Je moeder is dood, zegt mijn oma altijd. Dat is natuurlijk waar, maar Tata vindt het prettiger om te zeggen dat ze weg is, op reis, wat ook een beetje waar is.

Tata is een soort boeddhist. Hij gelooft niet in de dood. Volgens hem is het leven een lange reis tussen verschillende werelden. Daarom is hij ook vegetariër. Als je een beest opeet, kan het zijn reis niet afmaken. Ik weet niet of dat waar is, maar ik wil het wel graag geloven, dus eet ik ook geen vlees en vis. Mama is dus op reis en daardoor zijn wij op reis met die stomme Marcia en Krijn.

12

Dezelfde haren als ik!

Dit is mama.
Is ze niet mooi?

En dit ben ik,
1 week oud

Ik kan me mama niet meer herinneren, alleen van de foto's en filmpjes. Toen ik twee jaar was, kreeg ze 's nachts een hartaanval en is daarna nooit meer wakker geworden. Tata zegt dat niemand zo'n mooi hart had als mama.

Dat er zoveel liefde in haar hart zat dat het niet meer paste.

Sinds mama weg is, wonen we in de werkplaats. Tata's atelier is onze woonkamer. Op de verdieping erboven heeft hij voor ons twee slaapkamers gebouwd. Op mijn plafond heeft hij een enorme olifant geschilderd. Hij is zo groot dat hij niet eens helemaal op het plafond past, want zijn slurf staat op de linkermuur. Tata's eigen slaapkamer is helemaal wit. Het is een leeg schildersdoek, voor inspiratie in de nacht, zegt Tata.

Bij ons thuis is het altijd een rommel, maar dat vind ik wel gezellig. Soms moet je tussen de schilderijen, verftubes en kwasten door naar de bank zoeken. En als je hem dan hebt gevonden, is hij meestal nog bezet ook. We hebben vaak mensen op bezoek die Tata's schilderijen komen bekijken. Soms mag ik ook mijn eigen tekeningen laten zien en één keer heeft een Franse minister er zelfs een

14

gekocht! Een tekening van twee olifanten
die in de knoop zaten met hun slurven. Ik
vond dat natuurlijk een hele eer, maar ook
wel een beetje jammer, want de tekening
was heel goed gelukt en nu ben ik hem
kwijt. Zo zag hij er ongeveer uit:

Spullen vind ik niet zo belangrijk, behalve
dan mijn eigen tekeningen. Naast mijn
tuinbroeken en het olifantendoosje van
nana zijn ze het belangrijkste wat ik
heb. De meeste van mijn tuinbroeken
zijn door oma genaakt. Ik heb een heleboel
verschillende: met lange pijpen, korte
pijpen en met een rok in plaats van een
broek eraan. Ik heb er zelfs een met lange
armen en benen, een soort skipak.

Ze hebben allemaal andere stofjes, kleuren en printjes. Ik mag van oma altijd zelf de stof uitzoeken. Dan gaan we samen naar de markt.

Net als Tata heb ik niet veel vrienden, maar ik ken wel veel kinderen. Ik weet bijvoorbeeld van bijna alle kinderen op school hoe ze heten. De meesten vinden me een beetje raar, omdat ik andere kleren draag en computerspelletjes niet zo heel erg leuk vind. Niet zo leuk als zij het vinden in ieder geval. Ik hou meer van buiten spelen.

Mijn enige echte vriendin is Kim, mijn buurmeisje. Ze is ook een beetje raar, omdat ze heel klein is en er precies hetzelfde uitziet als haar moeder, die uit Korea komt. Ze dragen dezelfde kleren, hebben hetzelfde bloempotkapsel en hun stemmen zijn ook bijna hetzelfde. Ik ben

altijd verbaasd over hun harde stem.
Dat verwacht je niet bij zulke kleine
mensen. Kim en haar moeder zijn een
soort moeder-dochter-tweeling.

Ik wist altijd wel dat Tata en ik een
beetje anders zijn, maar ik vond dat
eigenlijk wel fijn. Daardoor voelde ik
me bijzonder, maar de laatste tijd voel
ik me er alleen door. Sinds hij met die
zeurkoningin is, heeft Tata helemaal
geen tijd meer voor me. Ook Kim heeft een
nieuwe vriendin gevonden, Chantal. Ze
kennen elkaar van turnen en spelen de
laatste tijd bijna elke dag samen. Als
ik het vraag, mag ik meestal wel met ze
meedoen, maar ik vind het lang niet
zo leuk als met Kim alleen. Chantal
is heel bazig en wil altijd moeilijke
turnoefeningen doen, die ik niet kan of
durf. Daar ben je veel te klunzig voor, zegt
ze.

TATA

Ik mis mama niet, want Tata is spannend genoeg voor twee. Dat was hij in ieder geval altijd. En als zijn Marcia-ziekte over is, zal alles weer net zo worden als vroeger.

Toen nam hij me overal mee naartoe, meestal in de zijspan van zijn motor. Ook hielp ik hem graag bij het maken van zijn kunstwerken en dan zongen we liedjes van Elvis Presley. Onze favorieten zijn 'Jailhouse Rock' en 'Blue Suede Shoes'.

Tata is schilder, maar hij heeft ook al een heleboel andere kunstwerken gemaakt, zoals beelden, meubels en auto's. Soms ontwerpt hij ze alleen op papier en dan voeren andere mensen het uit. Bijvoorbeeld bij Volvo. Voor dit automerk heeft Tata heel grappige vrachtwagens ontworpen met gekke vormen en kleuren. Van alles

wat je maar kunt bedenken, kan Tata
iets moois maken. Daarom is hij zo'n
fantastisch kunstenaar.

Ik weet wel dat het niet alleen door
Marcia komt dat Tata de laatste tijd zo
saai is. Hij is ook erg druk met het nieuwe
paleis van meneer Bodega. Hij ontwerpt
een huis voor een heel rijke, Spaanse
zakenman. Tata noemt het een paleis,
omdat het vierentwintig kamers krijgt
en een echte concertzaal met een podium.
Het plafond van de concertzaal wordt een
koepel van glas-in-lood. Ik weet dat het
heel bijzonder voor hem is, omdat hij nog
nooit een heel huis heeft ontworpen,
maar hij mag wel iets vaker zijn neus uit
zijn schetsboek halen. Ik heb zin om
te lachen en niemand is zo goed in het
bedenken van gekke, grappige plannen als
Tata. Ik zal een paar voorbeelden geven:

Megabosbessentaart

Op mijn laatste verjaardag,
   13 mei, hebben we een
taart gebakken van één
   meter breed. We hebben
bij de bakker op de hoek
gevraagd of die in de oven

   mocht, omdat het thuis niet paste.
   Het was een heerlijke bosbessentaart
en ik heb hem samen met Kim uitgedeeld
      in de straat.

Koeien spelen

Toen we laatst bij oma in het dorp waren,
   hebben Tata en ik koeien nagedaan.
We gingen op onze handen en voeten in
   het weiland staan en hebben gras
gegeten. Daarna waren we wel een beetje
   misselijk en oma was heel boos. Op Tata
dan, niet op mij. Ik begreep dat niet goed,
   want ik was net zo misselijk als hij.

Dieren redden

Tata zegt dat het heerlijk is om rijk en
beroemd te zijn, want dan mag je
allemaal dingen doen die anders niet
zouden kunnen. Zo hebben we een keer alle
dieren uit de dierenwinkel gekocht, omdat
Tata vond dat de man die daar werkte
niet aardig tegen de dieren was. Het waren
er 203, waarvan ongeveer 100 vissen.
Het duurde een tijdje tot we voor alle
beesten goede baasjes hadden gevonden en
het leek net of we op een kinderboerderij
woonden, omdat ze allemaal los in ons
huis rondrenden (behalve de vissen
natuurlijk). Het was nog een grotere
rommel en drukte dan normaal. Tata heeft
toen een grappig kunstwerk gemaakt, door
een aantal konijnen en poezen door bakken
met gekleurde waterverf te laten lopen en
daarna over een groot wit doek op de grond
te laten springen en rennen. Het hangt nu
in de hal van het reptielenhuis in Artis.

Maar een paar maanden geleden ontmoette Tata Marcia bij een filmpremière. Sinds toen is hij niet meer zichzelf. Hij doet alles samen met die zeurkoningin en heeft helemaal geen tijd meer voor mij. Zij praat de hele dag aan één stuk door (heel irritant) en het liefst over andere mensen. Over alles en iedereen heeft ze een mening, die vaak nergens op slaat.

Tata is veel stiller dan normaal, maar misschien komt dat gewoon omdat hij niet tussen haar gekwebbel door kan komen. Het lijkt wel of Tata niet meer van avonturen houdt. Anders zou hij ook nooit een vriendin zoals Marcia kunnen hebben. Iedereen vindt haar zo mooi, maar ze is de gewoonste en saaiste vrouw die ik ooit heb ontmoet. Het spannendste dat ze samen doen is witte wijn drinken en praten (kletsen noemt Marcia het, ik noem het zeuren). Oma zegt dat Tata haar leuk vindt omdat hij rust nodig heeft. En nu gaan we met zijn allen naar Italië, omdat zij daar een fotoshoot

heeft. Lekker interessant...

IN EEN HOTEL, IN OOSTENRIJK

Ik was in slaap gevallen en toen ik
wakker werd, waren we bij ons hotel.
Dat viel dus mee!

Waarom moet ik met Krijn op een kamer
slapen? Laat het mens een kamer delen
met haar vervelende zoon! En dan zegt Tata
ook nog dat IK niet moet ZEUREN!

Ik lig nu al uren wakker. Wie zou er kunnen
slapen in deze lucht?!

Nog een paar uur later: Ik wou dat ik een kurk had om erin te stoppen!!! 😊

De volgende ochtend: GAAP... Wat heb ik beroerd geslapen. Toen Krijn eindelijk uitgescheet was, begon hij ook nog te snurken...

Oostenrijks ontbijt is heerlijk. De tafel was gedekt met witte broodjes en alle ontbijtspullen in het klein. Kleine ronde bakjes met jam in allerlei smaken.

Ik vind aardbei het lekkerst! En kleine bakjes met pindakaas en hele kleine vierkantjes boter, gevouwen in glimmend goud papier. Maar het mooiste vond ik de minipakjes met cornflakes, ricecrispies en chocopops. Ik heb er stiekem een paar meegenomen voor later, maar toen Marcia zag dat ik ze in mijn zak stopte, zei ze heel hard: Dat mag niet hè, Lux! Leg maar snel weer terug.

Wat een bemoeikont, ik schaamde me dood!!!!! Gelukkig zei de meneer van het hotel dat het niet erg was en mocht ik alles toch nog houden.

Nu zitten we dus weer in de auto. Nog vijf of zes uur rijden, zegt Tata. Ik hoop dat het snel voorbij zal gaan.

Toen Krijn bij de benzinepomp naar de wc ging, was hij zijn rugzak vergeten mee te nemen. Mijn kans! Dit zat er in zijn tas:

- Een zak snoep. Ik heb snel aan alle snoepjes gelikt en de zak weer dichtgenaakt. 😊
- Een computerspelletje.
- Een paar stripboeken, die ik helaas allemaal al ken.
- Een klein boekje met de titel 'Leren zoenen'. Dat heb ik eruit gehaald en in mijn krabbelboek gevouwen, zodat ik het stiekem kan lezen. Ik heb een paar interessante stukjes overgeschreven:

Zoenen voor beginners: Bij tongzoenen of tongen kussen twee mensen elkaar met open mond, zodat de tongen elkaar kunnen raken. Vaak wordt de tong in de mond van de partner gebracht. In vergelijking met een gewone kus duurt een tongzoen meestal veel langer. Bij een goede (tong)zoen

26

gebruik je niet alleen je lippen, maar ook je tong, neus en wangen om tegen elkaar aan te wrijven.

Gemiddeld worden er tijdens een tongzoen 250 verschillende soorten bacteriën uitgewisseld.

Bij Krijn zullen dat er wel minstens 1000 zijn 😊

Op de laatste bladzijde staat stap voor stap uitgelegd hoe tongzoenen gaat:

1. Vermijd nare luchtjes. *Daar gaat het bij Krijn dus al meteen mis...*
2. Neem een comfortabele houding aan.
3. Kijk elkaar diep in de ogen.
4. Kantel allebei je hoofd in tegengestelde richting.
5. Plaats je lippen zachtjes op elkaar en sluit je ogen.
6. Maak langzame ronddraaiende bewegingen met je lippen.
7. Doe je lippen iets van elkaar en steek je tong in de mond van de ander.
8. Adem rustig door je neus.
9. Speel met elkaars tongen. Probeer verschillende bewegingen.
10. Je kunt zachtjes bijten en likken aan de lippen en tong van de ander.

27

's Avonds op de camping tijdens het eten gaf ik Krijn zijn boek terug. Ik zei zo hard mogelijk: Hier heb je je ~~seksboek~~ terug, Krijn. Helaas was Marcia alweer zo hard in Tata's oor aan het tetteren dat ze het allebei niet hoorden. Het stinkdier trok het boek uit mijn handen en gromde: Geef terug, dief! Hoe kom jij daaraan?

Ik kon mijn lachen bijna niet inhouden, maar hield mijn gezicht strak en antwoordde: Je moet je spullen ook niet laten slingeren. Je moeder zou het niet leuk vinden als ze wist dat je dit soort boeken leest...

Krijn wilde me een mep geven, maar toen hij zag dat Tata net onze kant op keek, propte hij het boekje zo snel mogelijk terug in zijn rugzak.

De bange poeperd!

LA FONTANA

Onze camping heet La Fontana, wat
fontein betekent, maar ik heb er nog
geen kunnen vinden. Bij de ingang ligt een
stenen bal, waar water overheen stroomt,
maar je kunt het niet echt
een fontein noemen.
Ze kunnen Tata beter
een nieuwe
fontein laten
ontwerpen,
een echte met
paarden en
ruiters.

Verder is het wel een mooie camping. Er is
een groot grasveld, waar de tenten en
caravans staan, maar wij zitten in een
huisje aan de andere kant van de bomenrij.
(Natuurlijk gaat mevrouw de zeurkoningin

niet in een tent slapen.) Een echt huisje kun je het niet noemen, het lijkt meer op zo'n hokje waar bouwvakkers in zitten te eten. Vanbinnen lijkt ons huisje groter dan aan de buitenkant. Het is best gezellig ingericht, maar mijn goede humeur verdween meteen toen ik doorhad dat ik WEER een kamer moet delen met Krijn. Sinds ik zijn zoenboek heb afgepakt, negeert hij me nog harder dan daarvoor. Ik wou dat ik het boekje nooit gevonden had, want nu zie ik hem steeds kussend en lebberend voor me. Heel smerig!

Wie zou er nou willen zoenen met iemand die zo ruikt?

Genoeg! Ik wil niet meer bij die twee in de buurt zijn: Zeur en Meur.

Bblllhhh, bblllhhh, ik heb ze helemaal uit mijn hoofd geschud.

Nu snel naar buiten. Ik ga de camping verkennen.

Het mooiste van La Fontana is het
strand. Er is speciaal wit zand
op gestort en er zijn palmbomen
geplant, waardoor het er veel
tropischer uitziet dan het is. Er is
een barretje met een terras, waar
alles van hout is (behalve dan de
glazen en flessen).

Camping.
La Fontana :.

Sinds we zijn aangekomen zit Tata op het terras van het strandbarretje te schetsen in zijn zwarte boekje. Ook heeft hij een groot boek over Etrusken op zijn tafeltje liggen, waarin hij af en toe de foto's geconcentreerd bekijkt. Ik weet niet wat Etrusken zijn, maar zal het hem straks vragen.

Tata is nog steeds erg stil. Ik had gehoopt dat hij weer een beetje los zou komen, nu we op vakantie zijn, maar hij doet net of hij niet doorheeft dat er om hem heen allemaal mensen aan het zonnen, zwemmen, spelen en praten zijn. Dat praten doet vooral Marcia. Laat dat mens ophouden met klagen! De wc's zijn te vies, het eten te vet, de mensen te gewoontjes. Overal is iets mis mee en ze weet altijd precies wiens schuld het is.
Drie keer raden wie dat is!

- Lux, ik zag jou als laatste uit de wc komen. Waarom ben je niet naar de receptie gegaan om een nieuwe wc-rol te halen? Ik snap wel dat je het allemaal een beetje eng vindt in zo'n vreemd land, maar je kunt mij of Krijn toch altijd vragen om even met je mee te lopen.

Alsof ik hun ooit om hulp zou vragen. Niet dus!

- Lux, waar zijn mijn haarspelden? Als jij in de buurt bent, krijgt alles op mysterieuze wijze ineens pootjes. Wel toevallig, hè!
- Luxie*, niet zonder bandjes het water in gaan. Straks verdrink je nog en dan heb ik het op mijn geweten. (Ze bedoelt eigenlijk dat het haar wel goed uit zou komen.)

*Zo noemt ze me altijd, als ze denkt dat Tata meeluistert.

Ik kan me voorstellen dat de fotograaf van Marcia's fotoshoot deze camping heeft gekozen, want in zo'n nepomgeving valt haar gemene kop misschien niet zo op...

IK VERVEEL ME

Ik heb bijna een uur gezwommen (zonder
bandjes, die heb ik al lang niet meer
nodig!). Het water is heerlijk lekker koud
en er zijn golven, waar je in kunt duiken.

Ik zou wel de hele dag in het water
kunnen spelen, maar het is een beetje
saai in je eentje.

Tata is in zijn stoel in slaap gevallen.
Het ziet er grappig uit, want zijn petje
is over een van zijn ogen gezakt. Hij lijkt
wel een piraat. Omdat hij beroemd is, zijn
er altijd wel mensen die Tata herkennen,
maar hij trekt zich er nooit wat van aan.

Hij gedraagt zich niet anders dan
anders, in tegenstelling tot de spillepoot
naast hem. Zeur ligt te zonnen en kijkt
om de minuut om zich heen om in de
gaten te houden of de andere mensen op
de camping nog wel naar haar kijken. Met

haar piepsten zegt ze zo hard mogelijk:
Het is zo'n last om beroemd te zijn.

Ik ben blij dat
Tata slaapt.
Misschien heeft
oma gelijk en is

Nou, zo beroemd is ze volgens
mij niet. Ik had nog nooit
van haar gehoord tot de
sombere dag dat Tata haar
mee naar huis nam.

hij gewoon moe en heeft hij rust nodig.
Als hij straks uitgeslapen is, ziet
hij vast alles weer helder en zullen we
samen lachen om Zeur. Ze heeft zich net
voor de zoveelste keer van top tot teen
ingesmeerd met zonnebrandcrème. Toen ik
er wat van zei, snauwde ze dat ze het zich
niet kan veroorloven om te verbranden,
net voor zo'n belangrijke fotoshoot.
   De hele tijd heeft ze het over haar
         ontzettend belangrijke
               opdracht, alsof het mij
            wat kan schelen.

Marcia vindt dat ik dankbaar moet zijn
    dat ik mee mocht hiernaartoe, maar ik
zie niet in waarom ik haar moet bedanken
    voor het feit dat ik me hier zit te
vervelen. Ik wou dat we iets spannends
        gingen doen.

Meur loopt al de hele ochtend als een
    hondje achter twee Engelse meisjes aan.
Ze zijn veel langer dan hij en lachen
    hem steeds uit als hij de andere kant op
kijkt, maar hij heeft niets in de gaten.
    Caroline en Cindy heten ze en de enige
reden dat ze Krijns gezelschap opzoeken,
is dat ze Marcia willen leren kennen. Ze
        willen ook fotomodel worden.

'Where is your mother?' vroeg Cindy net
    aan me. Ik weet wel wat dat betekent:
'Waar is je moeder?'
    Ik heb net gedaan of ik niet wist waar
ze het over had.

Dat rotmens is **NIET** mijn moeder en ik heb geen zin om dat aan hen uit te leggen.

Deze bloemen groeien allemaal op La Fontana. Vooral de grote paarse bollen vind ik mooi. Toen Krijn zag dat ik ze aan het natekenen was, heeft hij ze allemaal geplukt. Met een heel slijmerig gezicht liep hij op zijn nieuwe vriendinnen af en gaf ze aan hen. De etter heeft

geluk dat Tata nog steeds ligt te slapen,
want hij vindt dat je bloemen niet moet
plukken. Ik vind dat hij gelijk heeft.
Als je ze laat staan, leven ze veel langer
en kun je er toch ook naar kijken?! Als
Tata Krijn had gezien, had hij vast iets
gezegd van: Ik trek jouw benen er toch
ook niet af...?

Als lunch hebben we pizza gegeten. Marcia
keek er heel vies naar, terwijl het
heerlijk was. Pizza met witte kaas erop:
mosselrella of zoiets.
    Smerige, vette troep, zei Zeur, terwijl
ze een appel voor zichzelf aan het schillen
was. Ze heeft niet eens een hapje van de
pizza genomen, dus hoe kun je dan weten
dat je het niet lekker vindt? Zelfs de
manier waarop ze een appel schilt is
irritant. Heel langzaam en precies. Stel
je voor dat er een mini-stukje-schil zou
blijven zitten...

Ik hoopte dat Tata na de lunch samen
 met mij iets leuks wilde gaan doen, maar
hij dook meteen weer in zijn boek over
    Etrusken.
- Ga je mee zwemmen?
 - Ik heb het niet warm.
- Wandelen dan?
  - Lux, ga maar even jezelf vermaken.
- Ik verveel me.
 - Waarom bouw je geen zandkasteel?

Ik besloot om een zandolifant te maken.

Het was niet makkelijk, want om het zand voor de slurf plakkerig genoeg te krijgen, moet je er precies genoeg water bij doen.

Met te veel water wordt het te zwaar en zakt alles in elkaar. Met te weinig water blijft het niet plakken. Hij was heel goed gelukt en ik wilde er een foto van maken.

Ik rende naar Tata toe om de camera te halen, maar toen ik terugkwam bij mijn zandolifant, was hij helemaal kapot. Krijn lag erbovenop en Caroline en Cindy stonden ernaast te lachen.

Krijn zegt dat hij is gevallen, precies op mijn olifant, maar ik weet zeker dat hij het expres heeft gedaan.

Ik kon wel huilen, maar in plaats daarvan heb ik Krijn een harde stomp op zijn arm gegeven. Kim heeft me geleerd waar een gevoelig plekje zit en als je daar hard met je knokkels op slaat, kan het best pijn doen. Hij rende meteen naar zijn nannie, de aansteller.

Zoals je wel zult begrijpen, kreeg ik daarna op mijn kop van het zeurmonster.

Heel oneerlijk! Ik wou dat Tata achter zijn schetsboek vandaan kwam en haar zou zeggen dat ze niet zo gemeen tegen me mag doen, maar hij heeft niets in de gaten. Daar zorgt Marcia wel voor. Als Tata kijkt, doet ze poeslief en als hij er even niet is, komt haar gemene karakter meteen naar boven. Ik wou dat nana er was!

DE BRIEF VAN MAMA

Het is lang geleden dat ik zoveel aan
mama heb gedacht. Behalve alle verhalen
van Tata heb ik foto's en een brief
om me haar te herinneren. Het is een
prachtige, lieve brief, waaraan je wel kunt
zien hoe vol haar hart was. Ze heeft hem
geschreven toen ik een week oud was en
voor me bewaard in een sieradendoosje,
met op het deksel een met edelstenen
ingelegde mozaïek van een olifant. Als ik
me niet fijn voel, lees ik haar brief en
dat helpt bijna altijd. Ik heb het doosje
en de brief nu niet bij me, want ze liggen
thuis verstopt, onder in mijn sokkenla.
Gelukkig heb ik hen zo vaak gelezen dat
ik de brief helemaal uit mijn hoofd ken.
Ik zal hen hier opschrijven, want als ik
hen dan opnieuw lees, voel ik me vast weer
beter.

Lieve, lieve Lux,

Je bent het grootste wonder in mijn
leven. Pas een week oud en het is alsof je
er altijd bent geweest. Waarschijnlijk zul
je deze brief pas vinden wanneer je groter
bent en daar is hij ook voor bedoeld. Ik
doe hem in een juwelenkistje dat nog
van mijn oma en mijn moeder is geweest.
Dat kistje is nu van jou, ik zet het op je
kamer. Een verrassingsdoosje met een
boodschap erin.

Je bent een prachtige baby, maar dat kan
ook haast niet anders met een vader
als Tata. Hij heeft je naam bedacht, die
zon of licht betekent. Ik vond het erg
toepasselijk, omdat ik het nooit koud
had toen ik zwanger van je was.
Je was mijn binnenzonnetje.

De reden dat ik je schrijf, is niet om je te vertellen dat ik zo ontzettend veel van je houd. Ik ga ervan uit dat ik je dat vaak genoeg zal vertellen en duidelijk zal maken, dat het niet meer nodig is om je er een brief over te schrijven.

Wat ik je wil laten weten, is dat het niet erg is om een beetje anders te zijn dan anderen. Een leven met een artistieke en beroemde vader als Tata zal zonder twijfel spannend zijn, maar voor een klein meisje misschien niet altijd even makkelijk. Vergeet niet dat uiteindelijk iedereen anders is. Echt geluk komt juist van die dingen die jou en de mensen om je heen bijzonder maken.

Kleine Lux, wees dus nooit verdrietig of boos als de dingen niet meteen gaan zoals je ze van tevoren had bedacht. Er is geduld voor nodig om hoge bergen te beklimmen. Als je het echt even niet meer ziet zitten, kun je het beste gaan dansen, zingen en lachen. Dan draait het geluk vanzelf weer jouw kant op en zal alles om je heen gaan stralen.

Voor altijd jouw vriendin, in dit leven en nog vele erna.
Liefs, nana

DAG 2 OP LA FONTANA

Toen ik vanmorgen wakker werd, rende ik
   snel naar buiten voor frisse lucht. Het
zou me niet verbazen als ik door mijn
kamergenoot permanente schade aan mijn
reukvermogen overhoud.

Op het strandje stonden ineens twee
witte busjes. De fotograaf en de rest van
de mensen voor Marcia's fotoshoot waren
gisteravond aangekomen. Ze zijn de hele
   ochtend druk bezig geweest. Een vrouw
met kort knalrood haar heeft met
   rood-wit lint een stuk van het strand
afgebakend. Ze heeft een enorme stapel
schelpen   gewassen in een
   emmer met   zeepsop en
   het zand   aangeharkt.

De fotograaf is een aardige man. Hij komt uit Schotland en praat met een grappig accent. Hij rende heen en weer langs het water, met een apparaatje in zijn hand, dat hij om de paar meter in de lucht stak en er aandachtig naar keek. Toen ik hem vroeg wat het was, vertelde hij dat het een lichtmeter is, maar hij kreeg niet de kans om het me verder uit te leggen. Zeur kwam aanlopen, trok aan mijn arm en zei op geïrriteerde toon dat ik de fotograaf niet moest lastigvallen. Hij heeft wel wat beters te doen dan kleine kinderen vermaken.

Geeft niets hoor, zei de fotograaf gelukkig. Hij stak zijn hand naar me uit en zei: Ik ben Charlie en vind het altijd heerlijk als mooie jonge dames interesse tonen in mijn werk.

Ik voelde dat mijn hoofd warm en (waarschijnlijk) knalrood werd. Marcia

likte aan haar duimen en begon met haar
spuugvingers over mijn wangen te wrijven,
alsof ze de kleur er zo vanaf kon krijgen.
Dat doet ze ook altijd met mijn haren.
Als er een krul opzij springt, probeert ze
hem met haar spuug meteen weer glad te
wrijven en bij de rest van mijn haar te
duwen. Ontzettend irritant! Ik hoop maar
dat Charlie dacht dat ik zo rood was
door al dat gepoets op mijn wangen.

Toen Marcia me zo ver mee had gesleurd
dat niemand ons nog kon horen, keek ze
me kribbig aan en zei:

WAAR HEEFT ZE HET OVER?

Ik snap best wat je probeert, maar laat
de mensen van mijn fotoshoot met rust.
Neem een voorbeeld aan die leuke Engelse
meisjes. Als ik je nog één keer in de weg
zie lopen, zwaait er wat. Sommige mensen
zijn hier om te werken.

Blabla...

's Middags hebben we spaghetti met groene saus (pesto) gegeten. We zaten met de hele (crew) Tata, Marcia, Krijn, Caroline, Cindy en ik aan lange tafels, die voor de witte busjes waren neergezet. Ik ging naast Charlie zitten en dit keer kon Zeur er lekker niets van zeggen omdat Tata erbij was, en dan durft ze het niet.

Dit zijn de mensen van de fotoshoot, met wie ik van Marcia dus niet mag praten. Je kunt ze herkennen aan hun rode T-shirts, waar CREW op staat.

Toen alles weer was opgeruimd, gingen ze proefschieten, zoals Charlie het noemt. Dat betekent dat ze net doen alsof ze foto's maken, maar eigenlijk oefenen ze alleen nog maar. Cindy en Caroline hingen er de hele tijd omheen, maar zij werden niet weggestuurd door Marcia.

Ik was aan de andere kant van het strand begonnen om mijn zandolifant weer op te bouwen, toen ik Charlie naar me zag zwaaien. Hij riep me. Nadat ik goed had gekeken of Krijn niet in de buurt was om opnieuw mijn olifant te vernielen, waagde ik het erop. Charlie was druk aan het praten met Marcia.

- Het is gewoon een beetje saai, die Engelse meiden missen iets speels.*

- Maar, maar... (sputterende Marcia keek me woedend aan).

Charlie negeerde haar en draaide zich naar mij toe: Jongedame, wat zou je ervan vinden om model voor me te staan?

Nee!!!! dacht ik. Mijn onderlip hing bijna in het zand van verbazing, waardoor ik geen antwoord kon geven. Marcia maakte

---

*Pas veel later begreep ik dat het de bedoeling was dat er ook een kind op de foto kwam en dat Caroline en Cindy HEEL graag dat kind wilden zijn.

hier direct gebruik van door te roepen: Zie
je nou wel, dat kind is veel te verwend.

Maar toen kwam Tata net aanlopen en ze
sloeg snel met een poeslieve glimlach
een arm om me heen en zei: Het lijkt me
heel bijzonder om samen met mijn lieve
stiefdochter gefotografeerd te worden.

STIEFDOCHTER??? DAN IS ZIJ ZEKER
ZEKER MIJN STIEFMONSTER!

Ik kreeg niet eens de kans om te zeggen
dat ik er helemaal geen zin in had. Tata
keek me verbaasd aan, maar bemoeide zich
er niet mee en kroop weer weg achter
zijn boek over Etrusken, waarvan ik nog
steeds niet weet wat het zijn.

... mijn zandolifant, mompelde ik als
excuus, maar Charlie antwoordde dat hij
hem juist zo mooi vond.

Ik had er nog steeds niet zo'n zin in,
maar ik was wel een beetje trots.

Charlie liet de hele set verplaatsen naar de plek waar ik mijn kunstwerk aan het herbouwen was. Nu was niet alleen Marcia kwaad op me, maar ook Cindy, Caroline en de vrouw met het rode haar, die weer opnieuw kon beginnen met het harken van het zand. Waarom was iedereen boos op mij? Ik had dit niet bedacht. Ik wilde het niet eens!

Terwijl ik mijn best deed om een zo echt mogelijke slurf te kneden, rende Charlie om me heen en maakte heel veel foto's. Doe maar net of ik er niet ben, zei hij steeds, dus dat deed ik.

Zo ben ik weer helemaal bij, geloof ik. Ik zit nu in een heerlijke strandstoel naast Tata en het mooie is dat ik me helemaal geen zorgen hoef te maken over mijn zandolifant. Dit keer moet Meur wel met zijn vieze poten van mijn kunstwerk afblijven.

DE FOTOSHOOT

Vandaag is de echte fotoshoot. Ik vind het heel spannend en kan helemaal niet meer slapen van de zenuwen. Ik ben vast veel te klunzig en mijn haar staat natuurlijk alle kanten op. Het zou wel grappig zijn om Marcia's foto's expres te verpesten, maar voor Charlie zal ik wel mijn best doen. Ik moet proberen om nog even te slapen, maar dat lukt nu nooit meer, want Krijns nachtscheten (dat zijn de ergste) houden me klaarwakker.

Ik heb speciaal voor de foto mijn mooiste tuinbroek aangetrokken. Eentje met korte pijpen en gele en paarse vlinders erop. Marcia vond hem natuurlijk niet goed.
- Veel te opvallend. Vergeet niet dat je alleen maar meedoet voor de aankleding.

Het is niet de bedoeling
dat je het middelpunt
van de belangstelling bent.

Ik trok   me er niets
van aan   en rende
naar het   strand. Tot mijn
opluchting was mijn olifant nog heel. De
vrouw met het rode haar had hem zelfs
ogen gegeven van schelpen en een sjaaltje
van waterplanten omgehangen. Eigenlijk
was dat een beetje brutaal van haar,
want Tata zegt altijd dat je nooit aan
het kunstwerk van een ander mag knoeien,
maar ik vond het niet erg.

10 UUR 'S MORGENS:
Je moet wel geduld hebben om fotomodel te
zijn. Marcia is samen met de vrouw met
het rode haar bezig met haar make-up en
het duurt eindeloos. Ik dacht dat vandaag

eindelijk een spannende dag zou worden,
maar ik verveel me nu alweer ontzettend.
  Ik zou liever gaan zwemmen of zo.

  Toen de zeurkoningin e i n d e l i j k
tevoorschijn kwam in een glimmend gouden
bikini, konden we beginnen. Ik moest net
doen of ik nog aan het bouwen was aan
 mijn olifant
(terwijl
hij
eigenlijk al
af was)
en Marcia
krulde zichzelf
naast me
in allerlei
bochten.
Heel heel
heel veel keer
moest het
opnieuw en

toen we eindelijk klaar waren, was ik
doodmoe en verbrand door de zon. Ik wil
nooit meer fotomodel zijn!
Tata heeft eindelijk zijn schetsboek
weggelegd. Ik ga vragen of hij mee gaat
zwemmen.

Dat was heerlijk! We hebben onderzeeëertje
gespeeld en onder elkaars benen door
gezwommen. Ik mocht van Tata's
schouders af springen en eindelijk
hadden we het weer eens gezellig.
Natuurlijk kwam Zeur ons plezier
verpesten, door ook bij ons in het water
te komen en als een babyaap om Tata's
nek te gaan hangen.

's Avonds bij het eten zaten we weer aan
de lange tafels op het strand. Tata was
het middelpunt van de belangstelling.
Iedereen vroeg naar het paleis dat hij
aan het ontwerpen is voor meneer Bodega

en Marcia was duidelijk jaloers dat zij
weer niet alle aandacht kreeg.

Aan het eind van de avond tilde
Tata me op om me naar bed te
brengen. Het was heel fijn om hen
weer even voor mezelf alleen te
hebben.
- Gaan we morgen iets leuks doen?
Ik verveel me zo.
Tata glimlachte en gaf me een
dikke knus: Ik ook!

Hij zette zijn petje achterste-
voren.
- Morgen gaan we een dagje naar
Rome!
Ik knuste hem terug en knikte.

Super, morgen gaan we eindelijk weer eens samen op avontuur. Maar nu eerst lekker slapen. Meur is nog buiten en daar moet ik gebruik van maken om in slaap te vallen zonder die stank in de kamer

Dit is mijn kwijl. Ik was boven mijn krabbelboek in slaap gevallen... haha

NAAR ROME

Ik had me er zo op verheugd om samen met
Tata naar Rome te gaan, maar ik had het
kunnen weten: Zeur en Meur gaan ook mee.
BAH!

Aan zijn chagrijnig smoelwerk te zien,
vindt Meur het net zo vervelend als ik.
Hij was natuurlijk liever bij zijn Engelse
vriendinnetjes gebleven. Op de achterbank
van de spacewagen zit hij nu een dom
computerspelletje te spelen.

Smak, smak...
Om Krijn te pesten maakte ik zoen-
geluidjes, terwijl ik Caroline en Cindy
nadeed. Die twee lijken zo op elkaar dat je
ze op dezelfde manier na kunt doen: de
hele tijd met je handen door je haar om
het in model te doen, hysterisch hoog

lachen en je hoofd schuin houden wanneer
   je iemand aankijkt.

Ik bladerde door mijn aantekeningen en
   las hardop een stukje voor dat ik uit
Krijns zoenboek heb overgeschreven.
- Zoenen voor beginners: Bij tongzoenen of
tongen kussen twee mensen elkaar met
   open mond, zodat de tongen elkaar
   kunnen raken...

Krijn keek me vernietigend aan, maar zei
   nog steeds niets. Ik had er wel plezier
in en ging verder met mijn: smak, smak,
   smak.
Tot mijn schrik kraaide Marcia toen
ineens: Kijk nou wat schattig, Luzie heeft
   een oogje op Krijn.

BAH, PROEST, BLLLHHH, KOTS, KOTS, KOTS!!!!

Ik moet al overgeven bij het idee alleen.
Waren we maar vast in Rome. Ik wil weg
uit deze auto!

Het duurde bijna drie uur voor we in
Rome waren en een parkeergarage hadden
gevonden die Marcia goed genoeg vond om
haar lelijke auto in te zetten. De eerste
drie heeft ze afgekeurd:
- Te vies.
- Een te slechte buurt.
- Geen aardige bewakers.

> Alsof een auto er
> last van heeft dat
> zijn bewakers niet
> vriendelijk tegen
> hen zijn?!!

Maar goed, we zijn er nu.

Ik dacht dat we nu toch echt iets
leuks zouden gaan doen, maar toen we de
parkeergarage uit kwamen, liepen we meteen
door een heel sjieke winkelstraat:
via Condotti ('via' betekent straat in

61

het Italiaans). Nu weet ik waarom Zeur hier wilde parkeren: zodat ze kon gaan winkelen... Overal wilde ze naar binnen. Kleren passen en maar zeuren, zeuren en zeuren tegen de verkoopsters. Heb je ook een andere kleur? Een andere maat, deze is véééél te groot? De stof is niet goed. Het materiaal is niet soepel...

Uiteindelijk heeft ze een paar schoenen van slangenleer gekocht. Ik zag aan Tata's gezicht dat hij het vervelend vond dat ze die kocht, maar hij zei er niets van. Ik begrijp het echt niet! Altijd heeft hij zo'n grote mond tegen iedereen, maar bij Marcia gedraagt hij zich als een schaap. Mannen raken in een soort hypnose als ze bij een mooie vrouw in de buurt zijn, zegt oma. Dat vind ik op zich al stom, maar zo mooi is Marcia toch niet? Ik weet wel dat er veel mensen (mannen) op straat naar haar kijken, maar ik zie echt niet wat er zo bijzonder aan haar is.

Hypnose of niet: slangenleer!!! Normaal zou Tata flinke stennis zijn gaan schoppen in zo'n winkel. Hij zou hard schreeuwend gaan demonstreren voor de deur of 's nachts zijn teruggekomen om een dode slang op de gevel te schilderen. Deed hij dat maar weer.
Ik wil mijn oude Tata terug!

slangenleren
schoenen

Toen we eindelijk waren aangekomen
bij de Trevifontein had Marcia een
dikke blaar op haar hiel van de nieuwe
slangenleren muiltjes. Gelukkig kon ik
even haar gemekker vergeten toen ik de
fontein zag. Wat is hij prachtig! Het
is niet zomaar een beeldje met een paar
waterstralen die eruit spuiten, maar
een megagroot bevroren (stenen)
toneelstuk. Meer een fonteindorpje.

Tata vertelde me dat als je over je
schouder een muntje in de fontein
gooit en tegelijkertijd een wens doet,
hij meteen zal uitkomen. Ik kreeg
nauwelijks de tijd om erover na te
denken, want Marcia was al op zoek
naar een taxi om weer te vertrekken.
Snel graaide ik in mijn zakken. Het
enige muntje dat ik had, was mijn

geluksdubbeltje. Ik vond het wel zonde
om het weg te gooien, maar ik heb echt
een beetje geluk nodig. Ik gooide het
over mijn rechterschouder. Terwijl ik
het zachtjes in het water hoorde
plonzen, wenste ik dat deze vakantie
toch nog leuk en bijzonder zal worden.
Hoe, zou ik niet weten. Maar daar gaat
het bij wensen niet om, toch?

Toen moest ik rennen om in de taxi te
springen, die ons naar de Piazza Navona
zou brengen. Zeur plofte neer op de
bruin met witte plastic stoelen van
het eerste terras dat ze zag en zei:
Zo, eerst maar eens lekker borrelen.
Zonder aan iemand van ons te vragen
of wij daar ook zin in hadden.

Zo ziet de Trevifontein eruit.
Wel meer dan een gewoon fonteintje,
toch?

En daar
vliegt mijn
geluksdubbeltje

Trevifontijn

PIAZZA NAVONA

Ze wil geen poot meer verzetten. Ik heb
alles wat er is gebeurd al opgeschreven
en nu verveel ik me nog erger dan op de
camping. Zucht, zucht. Toen ik mopperde
over hoe saai deze dag is, lachte Zeur en
zei met een hoofdknikje naar Meur: dan
ga je toch bij je liefje zitten!

KOTS, KOTS!

Krijn verveelt zich net zo erg als
ik. Hij moet toch inmiddels wel drie
keer de highscore van zijn spel hebben
verbeterd, want hij heeft de hele dag
nog niets anders gedaan dan naar het
kleine zilverkleurige doosje staren.
Hij zal morgen wel spierpijn in zijn duimen
hebben. Ik zou bijna medelijden met hen
krijgen.

Nu zitten we al uren op dit enorme plein.
Er zijn mooie roze- en oranjeachtige
huizen, drie grote fonteinen* en heel veel
toeristen. Je kunt ze herkennen aan hun
korte, lichtbruine broeken, rugzakken en
fototoestellen. Sommigen heb ik net ook
al bij de Trevifontein gezien. Verder is er
een groepje kinderen aan het voetballen.
Ik zou wel mee willen doen, maar ik durf
het niet te vragen, want ze praten
natuurlijk allemaal Italiaans. Ik ga wel
even kijken bij de kraampjes, waar ze
schilderijtjes en tekeningen verkopen.

*Ik vind die met de
verdrinkende paarden
het mooiste.

Ik heb een tijdje staan kijken bij een
tekenaar die karikaturen van toeristen
maakt. Ik heb zelf ook geprobeerd om er
eentje te maken.

Dit is een karikatuur
van Marcia.
Ik vind hem zelf
  wel goed gelukt.

Nu heb ik echt alles
  bekeken. De enige
  afleiding die we
  nog hebben, zijn de
  straatartiesten.
  We hebben
al van alles
gezien: een
  vuurvreter,
een poppenspeler
en verschillende muzikanten.
  Het lijkt alsof ook zij zich een beetje
vervelen. Er zit weinig leven in hun
  optredens, maar net is er een groepje
mensen aangekomen dat wel een berg
  vrolijkheid uitstraalt.

Het zijn twee mannen (een oude en een
jonge), een mooie vrouw die een beetje
   op mama lijkt, een vrouw in een rood met
witte jurk en een meisje van mijn
   leeftijd. Ik zwaaide naar het meisje en
ze lachte terug. Ze kan prachtig
   vioolspelen en dansen. Ze hebben het
heel gezellig met elkaar. Ik wou dat ik
met hen op vakantie was!

Het was een prachtige voorstelling met spannende muziek en een danseres die veel stampte. Tata vond het ook mooi, want hij zat te wiebelen op zijn stoel. Ik sprong op en trok hem aan zijn arm om samen te gaan kijken in de kring van mensen die om de artiesten heen stonden te klappen. Hij stond al op en gaf me een hand om mee te gaan, toen Marcia hem weer terugfloot.

- Pas toch op voor die zigeuners. Het zijn allemaal dieven!

Tata keek haar verbaasd aan:

- Dat zal wel meevallen. Zulke geweldige muzikanten hoeven niet te stelen voor hun geld.

Maar ze klaagde verder:

- Ik vind het niet gezellig, hoor. Dan zit ik hier zo alleen.

Dus ging _ik_ naar weer <u>alleen</u>.

Gelukkig bedacht Tata zich en kwam toch achter me aan. Hij tilde me op en samen zwierden we het plein over. We hebben heel lang ge-ouder-zwetst.* Het was super gezellig. Zou Tata ook gaan inzien wat een rotmens Marcia is?

* Zo noemen we stijldansen.

Misschien toch nog niet helemaal, want na het dansen ging hij snel weer terug

72

naar het tafeltje waar Zeur met een boze
kop haar eigen voeten zat te masseren.

Maar _ik_ trek me er niets meer van aan.
Wat een geweldige show was dat! Ik heb
nog steeds pijn in mijn handen van het
klappen. Jammer genoeg had ik geen geld
om in de kist te stoppen. Gelukkig had ik
wel twee lolly's in mijn zak. Die heb ik aan
het meisje met de viool gegeven.

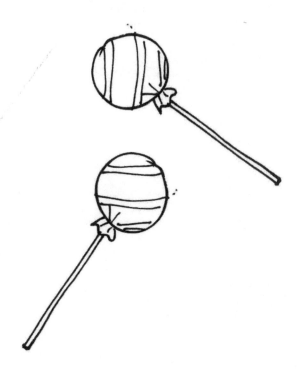

VILLA CESARE

Tata stelde voor om een hotel te nemen
en nog een dagje in Rome te blijven.
Blijkbaar vindt hij het ook jammer dat
we nog bijna niets hebben gezien. Bij een
tijdschriftenkraanpje heeft hij een
toeristengidsje gekocht en we mogen
allemaal één ding kiezen om te doen.
Morgen bij het ontbijt beslissen we
samen wat het leukste is.

- O Tata, kunnen we gaan logeren in
Villa Cesare? Daar heb ik altijd al
van gedroomd.

Voor één keer moet ik haar gelijk geven,
want ons hotel is prachtig! Villa Cesare
is zoals je je een paleis voorstelt. Alles
is van marmer of van goud, in ieder geval
goudkleurig en blinkend. Tapijten met de

prachtigste figuren liggen hier niet
alleen op de grond, maar hangen ook
aan de muren. Alle deuren, handvatten
en kastjes zijn versierd met kriebelige
figuren. Dat heet jugendstil, zei Tata.

Onze kamer is op de zevende verdieping
en mega-mega groot. Het uitzicht is zo
ver als het einde van de wereld. De
bedden zijn zo zacht als kussens, en de
kussens zo zacht als wolken. Ik heb
mijn bed helemaal naar de andere kant van
de kamer geschoven. Het is zo ver weg van
het bed van Meur dat ik hem misschien
niet eens zal ruiken. In ieder geval kan
ik hem wel vergeten door te duiken in de
enorme stapels boeken die in de kast
naast de schuifdeuren staan. Ook strips
in alle talen!

Maar het allermooist is de badkamer.
Het bad is rond en zo groot als een
klein zwembad. Er zijn twee knoppen naast
de kranen. Ik weet niet waar ze voor
zijn, maar ik ga het straks uitproberen.
Net als alle potjes en tubetjes die in
het kastje onder de wastafel staan.

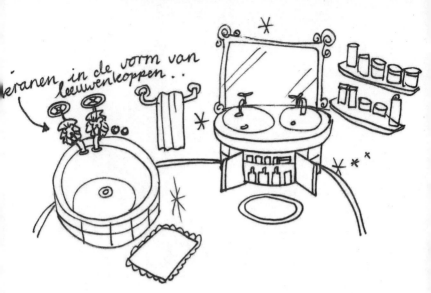

kranen in de vorm van leeuwenkoppen..

Toen we samen de menukaart bekeken, was
Krijn voor het eerst deze vakantie aardig
tegen me. Hij had er ook plezier in en we
hebben zelfs een beetje gelachen toen we
twee bakken ijs bestelden met alle
26 smaken erin:
- melkchocolade
- pure chocolade
- witte chocolade
- stracciatella (met stukjes chocolade)
- vanille
- pistache
- citroen

- limoen
- aardbei
- banaan
- mango
- watermeloen
- peer
- bosbessen
- frambozen
- kersen
- perzik
- mokka
- walnoten
- hazelnoten
- pecannoten
- cola
- grenadine

Deze smaak wordt gemaakt van sap van granaatappels.

- speculaas
- kokos
- smurfenijs

Dit is blauw. Het is moeilijk uit te leggen hoe het ijs van de smurfen smaakt, maar het is wel lekker en fris.

Daarna namen we allebei nog een grote
pizza. Voor Krijn eentje met alle soorten
beleg erop en voor mij een met alle
soorten vegetarisch beleg:
- 5 verschillende soorten kaas
  (parmezaan, gorgonzola, emmentaler, feta,
  mozzarella)
- paprika
- artisjokken
- olijven
- ananas
- tomaten
- ei
- champignons
- kappertjes
- broccoli
- courgette
- ui
- asperges
- knoflook
- spinazie
- rucola

Zo heet het dus,
en niet
mossebrella!

IK ONTPLOF!!!!

We hebben alles voor de televisie
opgegeten. Er was een programma op met
hondenraces. We begrepen niet goed wat
er allemaal werd gezegd, maar het was wel
leuk om naar de honden te kijken die om
de beurt over een soort hindernisbaan
renden. Ik begon Krijn net een beetje
aardig te vinden, toen alle soorten ijs

en pizzabeleg zich in zijn maag hadden
gemengd en hij de langste en vieste scheet
liet die ik ooit heb geroken. Snel heb ik een
paar stripboeken gepakt en ben naar de
badkamer gevlucht.

Fantastisch, dit is pas vakantie!

Ik heb een knalrood hoofd van het
   warme bad en ga nu heerlijk slapen in
mijn prinsessenbed. Ik wilde alleen nog
   even vertellen dat ik heb ontdekt waar
de knoppen op het bad voor zijn. De ene
maakt bubbels. Zoveel dat het bad bijna
   overstroomde. Als je de andere knop
indrukt, komen er harde stralen met
   warm water uit de zijkant van het bad.
Het is een beetje raar als je het niet
   verwacht, maar het voelt wel lekker
aan je rug.

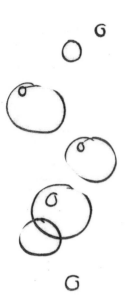

Het gekke is dat het
net lijkt alsof
er een heleboel water
het bad in stroomt,
maar toch
wordt het bad niet
voller.

82

NU ECHT ROME

Krijn en ik zitten aan de
ontbijttafel in de hal van ons
supersjieke hotel. De tafel staat
propvol servies. Zoveel borden,
kopjes en bestek gebruikt zelfs de
koningin niet bij haar ontbijt! Ik
heb alleen een kop thee genomen,
want ik zit nog steeds vol van
gisteravond.

Als ik heel veel ga plassen of
poepen, krijg ik misschien weer
ruimte in mijn maag voor al die
lekkere dingen op het buffet.
Even proberen, want het is toch
zonde om te laten staan, zo'n
feestontbijt. Ben benieuwd of de
wc's hier beneden ook zo sjiek zijn.

feest
ontbijt!.

De tijdelijke vrede tussen mij en Krijn is VOORBIJ. Dit vergeef ik hem <u>NOOIT</u>!

Toen ik net terugkwam van de wc, zat hij gewoon in mijn krabbelboek te lezen!!!!! Hij probeerde niet eens om het te verbergen. Met vuurspuwende ogen keek hij me aan. En dat terwijl **HIJ** een **LUL** is!

- Vuile, vieze... kwijlebal! Hoe durf je zomaar mijn dagboek te lezen?!
- Je zegt toch steeds dat het geen dagboek is. Je hebt gelijk trouwens, volgens mij kun je het beter een zeikboek noemen.
- Je bent een gore, gemene, akelige...
- scheetaap! Het is MIJN boek en ik heb nooit gezegd dat je het mag lezen.
- Had je het maar niet op tafel moeten laten liggen.

Ik kon zo snel niets beters verzinnen.

- Alsof het mijn schuld is dat jij niet te vertrouwen bent!
- En trouwens, je stinkt zelf!
- Nietes!

Hij durfde zelfs mijn boek naar me toe te gooien en zich beledigd om te draaien. Als iemand zich beledigd zou moeten voelen ben ik het wel!

Woedend begon ik te schreeuwen:
EIGENLIJK IS HET MAAR GOED DAT JE HET HEBT GELEZEN, WANT DAN WEET JE TENMINSTE HOE VIES JE BENT. DIE AKELIGE MOEDER VAN JE SCHIJNT HET JE NIET TE DURVEN ZEGGEN. OF IS HAAR NEUS MISSCHIEN NET ZO GEHANDICAPT ALS DE REST VAN HAAR?

Krijn keek met een brede grijns op zijn gezicht langs me heen. Toen ik me omdraaide, zag ik dat Tata en Marcia

achter me stonden. En aan hun gezicht te
zien, hadden ze alles gehoord. Net als
alle andere mensen in de ontbijtzaal, die
me nu aanstaarden.

Tata duwde me terug in mijn stoel, kwam
naast me zitten en mompelde: Zo kan-ie
wel weer, Lux!

Marcia ging naast de vuile, gemene,
stinkende Meur zitten. Zij keek net als
hij, alsof ze een donderwolk had ingeslikt.

Tata nam een roerei. Hij zei niet veel.
Verbeeld ik het me nou, of negeert hij
Marcia? Zouden ze ook ruzie hebben? Ik ga
snel zeggen dat ik naar het Colosseum
wil, voordat het chagrijnige kreng met
een ander plan komt.

Natuurlijk was Zeur het er niet mee eens:
- Ik ga echt niet van hot naar her
rennen.

Tata keek of hij verbaasd was:

- Waarom niet?

(Hoera! Hij gaat tegen haar in!)

Ik weet niet precies wat er met hen aan
de hand is, maar het heeft iets te
maken met een paar gympies dat Tata
gisteren voor haar heeft gekocht, omdat
ze zo'n pijn in haar voeten had. Ze weigert
ze aan te trekken, omdat ze ze niet bij
de rest van haar kleren vindt passen. De
ijdeltuit!

Krijn zegt alleen maar de hele tijd dat
hij naar het Lunapark wil, een soort
kermis. Verder wil hij niets. Ik weet wel
waarom hij dat doet; om mij te treiteren,
want ik heb hem gisteravond verteld dat
ik altijd kotsmisselijk word van snel
ronddraaiende attracties. Dat is dus
ook de laatste keer geweest dat ik hen
iets over mezelf vertel!

Omdat iedereen door elkaar heen aan het
schreeuwen was, besloot Tata dat hij als
eerste mocht kiezen wat we gingen doen.
  Triomfantelijk leunde hij achterover in
zijn stoel en keek mij met een schuine
glimlach aan. De poppetjes in zijn ogen
leken weer een beetje te dansen:
- EERST!

  Ik stak mijn arm in de lucht en riep zo
hard als ik kon:
- TWEEDST!

Krijn staarde ons verbaasd aan en zei
voorzichtig:
- Derdst.

Marcia zette haar dramagezicht op,
draaide zich om en rende in de richting
van de wc's.

Ik keek haar na en zei: Nu kan ze ineens
   wel rennen...
Tata negeerde mijn opmerking, maar
   Krijn schopte onder de tafel tegen mijn
   schenen.

Goed, ik mag dus eerst kiezen, zei Tata,
   toen Marcia weer terug was. Hij deed of
hij nadacht en zei toen: We gaan op de
   fiets naar het Vaticaan.
Marcia vond fietsen te gevaarlijk, maar
   stemde er uiteindelijk toch mee in toen
ze besefte dat ze dan niet haar nieuwe
   gymschoenen aan hoefde.

Nu zitten we in de hal van het hotel al
   een halfuur te wachten tot Zeur terug
is. Ze ging alleen even andere schoenen
   aantrekken...

NAAR HET VATICAAN

Fietsen door Rome was geweldig spannend. Overal kwamen auto's en scooters vandaan en niemand trok zich iets aan van stoplichten of de strepen op de weg.

Ik zat achterop bij Tata, die precies de goede weg door de drukte wist te vinden. Vond het helemaal niet eng. Marcia deed niets anders dan jammeren en bij elk heuveltje stapte ze af. Ze vroeg Krijn zelfs een keer om haar fiets te duwen, want daar is Zeur natuurlijk te slap voor.

Wat een goed idee van Tata om naar Vaticaanstad te gaan. Het lijkt of je nog steeds in Rome bent, maar eigenlijk is het een apart landje of een aparte stad. Een stadstaat wordt het genoemd.

Het Vaticaan is het kleinste landje op de hele aarde, maar heeft het grootste

museum en de grootste kerk ter wereld.
Het lijkt wel of dit hele landje
één enorm kunstwerk is. Ik vond de
Trevifontein indrukwekkend, maar dat
is een vensterbankbeeldje vergeleken bij
alles wat hier te zien is.

Om de giga-gantische kerk (de Sint-Pieter)
in te komen, moesten we een tijdje in de
rij staan op het grote plein ervoor. Dat
vond ik helemaal niet erg, want er is
hier zoveel te zien. Bijna het hele plein
is omringd met een kring van pilaren,
waar weer heel veel beelden op staan.
En ik heb nog nooit zoveel nonnen gezien.
Ik dacht dat dat iets heel ouderwets
was, maar hier zie je ze overal. In een
halfuurtje heb ik er al 23 geteld.

Toen we vooraan in de rij stonden en door
de bewakingspoortjes heen konden,
werden we tegengehouden door een man

in een ouderwets pak. Hij wees naar
een bordje waarop met tekeningetjes
was aangegeven dat je niet met blote
schouders of knieën naar binnen mag.

Tata, ik en het stinkdier hadden dat ook
niet, maar Zeur droeg een jurk met alleen
twee touwtjes over haar schouders*.

Dat plan gaat dus niet door, zei ze
triomfantelijk, maar gelukkig kwam er al
snel een jongetje aangerend die sjaals
verkocht. Marcia vond ze allemaal lelijk,
maar Tata kocht er toch een voor haar.

Mokkend sloeg ze de oranje met blauwe
sjaal (die inderdaad behoorlijk lelijk was)
om haar schouders en zo konden we toch
nog naar binnen.

De Sint-Pieter is dus de grootste kerk
van de wereld en zo voelt het ook als je
binnen bent. Welke kant je ook op kijkt,
bijna nergens kun je het einde zien. Alle

* Spaghettibandjes noemt
         Zeur het.

muren zijn bedekt met beelden en
schilderingen. De meeste toeristen kijken
naar een groot beeld achter een glazen
wand, de Pietà van Michelangelo, maar ik
vind de beelden die uit de muren lijken
te komen het mooiste. De meeste zijn van
mensenfiguren,
maar mijn
favoriete
zijn de
duiven.

Deze zie je heel veel,
door de hele kerk heen.
Tata vertelde dat het uit een Bijbels
verhaal is, van de ark van Noach. Deze
duif vloog weg van de ark (boot), om
land te zoeken.

Er is in deze kerk bijna geen stukje muur,
vloer of plafond dat niet versierd is. Je

zou hier dagen
 kunnen
rondkijken
en steeds
weer iets
 nieuws
zien. In het
 hoogste
stuk van de kerk,
zag ik deze schildering op het plafond.
 Ik vind hem mooi, omdat de man aan het
schrijven is. Misschien had hij ook wel
 een dagboek?

Vlak bij de kerk ligt een nog giga-groter-
 museum. Je komt binnen via de hal en dan
een brede, ronde trap, die als een kromme
 slurf omhoogkronkelt. Ik vond de trap al
meteen mooi, maar pas bij de uitgang
 kwam ik erachter dat er nog een veel
mooiere kronkeltrap is. Deze ziet er veel
 ouderwetser uit en is helemaal versierd
met krullen.

Zo ziet de moderne trap bij de ingang er
van bovenaf uit.

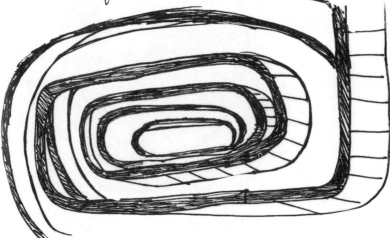

En dit vind ik de mooiste, de ouderwetse,
bij de uitgang.

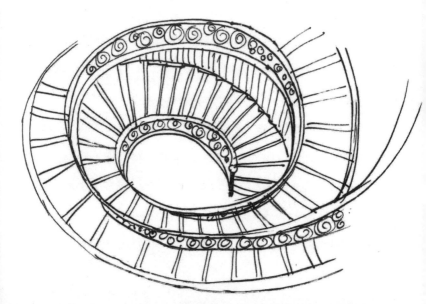

Soms vind ik musea saai, maar dit is super. Tata vertelde dat de meeste mensen hier komen voor de Sixtijnse kapel. Het is een van de beroemdste kunstwerken van de wereld en ik begrijp wel waarom, want het is allemachtig-prachtig. De Sixtijnse kapel is een grote zaal, met een golvend plafond. Elke millimeter is beschilderd. Tata vertelde dat de schilder, ook weer Michelangelo, het bijna helemaal alleen heeft gemaakt. Ik was verbaasd over hoe licht het er was, omdat er bijna geen ramen zijn. Het is hier zo druk dat je de vloer nauwelijks kunt zien. Een beetje zonde is dat wel, want hij is helemaal belegd met geweldige mozaïeken.

Toch vond ik een andere zaal, waar we doorheen kwamen op weg naar de Sixtijnse kapel, nog veel mooier. De 'galerij van de kaarten' wordt deze genoemd.

Op de zijmuren zijn allemaal landkaarten
geschilderd. Daar hou ik van, want dat

DIT IS EEN HELE
OUDE KAART VAN
ITALIË.

dit is
een foutje

geeft me het gevoel dat de wereld heel
groot is en er nog zoveel spannends te
beleven is.

Ik zou hier wel de hele dag willen blijven,
maar valse, akelige Meur heeft andere
plannen. Hij wil nog steeds naar het
Lunapark, zoals hij elke vijf minuten
zegt. Volgens ons toeristenboekje is
het niet eens een leuk pretpark, maar
dat kan het stinkdier niet schelen.
Waarschijnlijk zit hij er nu over
te zeuren bij mannie, want hij zit
ontzettend te smoezen met haar. Zij
wil trouwens naar de thermen (een
schoonheidscentrum met allemaal
warme baden), maar gelukkig heeft Tata
tegen haar gezegd dat dat niet leuk is
voor de kinderen.*

Nu zitten we koffie en chocolademelk
te drinken op een terrasje tegenover
de ingang van het museum en heb ik even
de tijd om alles op te schrijven en
mijn tekeningen af te maken.

100

* Zo heeft hij me nog nooit genoemd, maar ik ben allang blij dat hij weer een beetje is bijgedraaid. We hebben vanmorgen al meerdere keren gelachen en hij heeft me alles over Michelangelo verteld. Marcia was ONTZETTEND jaloers dat Tata mij zoveel aandacht gaf. ☺

HELEMAAL ALLEEN!

Ik ben nog nooit zo alleen geweest. Overal
zijn mensen, maar niemand kijkt me aan
en ik wil hen ook niet aankijken. Het
 liefst zou ik hard willen gillen, maar ik
kan maar niet stoppen met huilen.
 Ik ben verdwaald en het is Marcia's
schuld. Waar is Tata nou????????

Ik ben niet bang
 Ik ben niet bang
Ik ben niet bang
 Ik ben niet bang
Ik ben niet bang
 Ik ben niet bang
Ik ben niet bang
 Ik ben niet bang
Ik ben niet bang
Ik ben niet bang
 Ik ben niet bang

Ik ben niet bang
  Ik ben niet bang
Ik ben niet bang
  Ik ben niet bang
Ik ben niet bang
  Ik ben niet bang
Ik ben niet bang
Ik ben niet bang
  Ik ben niet bang

IK BEN WEL BANG!
IK BEN NOG NOOIT ZO BANG GEWEEST!

Dit is wat er is gebeurd:
Toen we weggingen uit het café, moest ik
  nog snel even naar de wc.
Altijd hetzelfde gezeik, mopperde Krijn.
 Marcia aaide hem over zijn hoofd en zei
toen tegen Tata: Als we straks in
 Amsterdam gaan samenwonen, zal Lux zich
 echt een beetje moeten aanpassen, hoor.
Dan kan ze niet de hele tijd doen waar ze zin
in heeft.

Ik schrok me een ongeluk. Waar haalde ze dat vandaan? Samenwonen? Daar had Tata nog nooit iets over gezegd. Was hij nu echt definitief knettergek geworden? Ik dacht dat hij eindelijk weer een beetje aan mijn kant stond en nu dit! Ik keek hem vragend aan, maar hij staarde alleen naar naar een heel klein vrachtwagentje dat voorbijreed en glimlachte alsof er niets was gebeurd. Had hij niet gehoord wat ze zei?

NEEEEEE! riep ik. Met het afschuwelijke beeld in mijn hoofd van Tata, Marcia, Krijn en ik als gelukkig familietje in een rijtjeshuis, rende ik zo hard mogelijk weg. Weg van hen allemaal. Weg weg weg wilde ik. Zelfs Tata kon ik blijkbaar niet meer vertrouwen, want hij heeft me niets verteld over dit afgrijselijke plan. Natuurlijk niet, want hij wist ook wel dat ik nooit bij haar zou willen wonen.

Kan het hen dan echt niets meer schelen wat ik ervan vind?

Ik rende de straat op en bleef rennen tot ik helemaal buiten adem was. Op een hoek zakte ik in elkaar en ging heel hard huilen. Ik weet niet hoe lang ik daar heb gezeten, maar toen ik eindelijk weer een beetje rustig was en om me heen keek, drong het tot me door dat ik geen idee had waar ik was.

Ik rende terug in de richting vanwaar ik dacht dat ik gekomen was, maar herkende niets. Ik zocht een hele tijd, maar hoe langer ik zocht, hoe verdwaalder ik raakte. Even dacht ik dat ik Marcia zag lopen, maar toen ze zich omdraaide, was het toch een andere vrouw. Ik was nog nooit eerder teleurgesteld geweest om Marcia niet te zien. Ik was heel erg bang en moest opnieuw hard huilen. Ik wilde dat Tata bij me was, ook al was hij dan heel oneerlijk tegen me geweest.

105

Er kwam een bus aan waar Piazza Navona op stond (het plein waar we gisteren zijn geweest). In de hoop dat ik vanaf daar de weg naar ons hotel terug zou kunnen vinden, ben ik ingestapt. Gelukkig kwam er niemand om de kaartjes te controleren, want ik had geen geld om er een te kopen.

Nu zit ik hier al een hele tijd bij de fontein met de verdrinkende paarden, helemaal alleen. Ik heb nog steeds geen idee hoe ik bij het hotel moet komen. Er lopen honderden mensen om me heen. Ze praten, lachen en rennen. Ik ben de enige die niet beweegt, maar ik hoef in ieder geval niet meer te huilen. Ik voel me onzichtbaar en zit zo stil dat ik niet eens meer kan huilen. Straks wordt het donker. Als ik Tata dan nog steeds niet heb gevonden, weet ik echt niet wat ik moet doen. Het enige wat ik kan bedenken, is om te blijven schrijven, zodat ik niet weer in paniek raak. Die wensfontein werkt helemaal niet!!! In plaats van leuker is deze vakantie alleen nog maar verschrikkelijker geworden.

Wat is dat? Ik hoor een bekend geluid. Daar zijn ze weer! De vrolijke straatmuzikanten die we hier gisteren ook hebben gezien staan aan de overkant te spelen. Misschien kunnen zij me helpen?

OP HET POLITIEBUREAU

Het is een gek verhaal. Ik zit ineens in
  een Italiaanse politiecel, maar gelukkig
ben ik niet meer alleen.

  Toen de zigeunermuzikanten even stopten
met spelen, ben ik naar hen toe gegaan.
Met handen en voeten probeerde ik uit
 te leggen dat ik verdwaald was en hulp
nodig had. Tot mijn grote verbazing en
opluchting bleek de vrouw die op nana
  lijkt Nederlands te spreken (zij en haar
familie komen uit België). Ik vertelde haar
mijn hele verhaal en ze beloofde om
 me te helpen, maar eerst moesten ze hun
optreden afmaken. Ik mocht meedoen,
  zei ze! Eerst durfde ik niet, maar het
jonge meisje legde haar viool weg, pakte
mijn handen en trok me mee. We waren
  geweldig! We deden elkaar gewoon na en

zwierden hand in hand voor de muzikanten langs, waardoor het net was of we een ingestudeerde dans deden. Ik vergat bijna dat ik tot over mijn nek in de problemen zat.

Maar toen gebeurde er <u>weer</u> iets onverwachts. Terwijl we nog druk aan het dansen waren, kwam er een politieman aan. Ik begreep niet precies wat er allemaal werd gezegd, maar het was wel duidelijk dat hij ons wilde wegsturen. Er was volgens mij nog niet zoveel aan de hand, totdat de jongste van de mannen hard begon te schreeuwen tegen de agent. Ze kregen ruzie en voor ik besefte wat er gebeurde, werden we allemaal samen een busje in geduwd, dat ons naar het politiebureau bracht.

Zo heet de Belgische mevrouw.

Corinne heeft me uitgelegd dat we zijn opgepakt omdat ze aan het optreden waren op een plein waar dat niet mag. Ze was heel boos op haar broer Brun, omdat hij was gaan schreeuwen tegen de politieman. Het is jouw schuld dat we hier nu zitten, zei ze tegen hem. En dat arme kind is nu nog veel verder van huis.

Ze bedoelde mij.

Ik vond het helemaal niet zo erg, want ik hoefde nu in ieder geval niet meer in mijn eentje door het donkere Rome te zwerven. Bovendien vond Brun het heel vervelend

wat hij had gedaan en hij heeft aan de
agenten uitgelegd dat ik eigenlijk niet bij
hen hoorde en mijn vader kwijt was. Hij
komt je wel halen hoor, zei hij. De agent
had hen verteld dat Tata al op zoek was
naar mij en dat ze hen meteen gingen
bellen om te vertellen dat ik terecht was.
Maak je maar geen zorgen, zei Corinne. Tot
je vader er is, blijf je bij ons.

Het viool-dans-meisje kwam naast me
zitten en haalde de twee lolly's die ik
haar gisteren had gegeven tevoorschijn.
Ze gaf me er eentje en zei: Ik ben Luna. En
jij? Terwijl we allebei aan een lolly likten
en lachten om elkaars steeds knalroder
wordende tongen, stelde Luna me voor aan
de anderen.

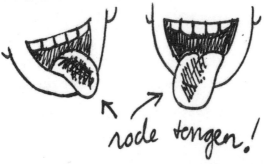

rode tongen!

Corinne was haar moeder. De anderen waren haar opa (Carolus), haar oom (Brun) en een vriendin (Carmina), die ook met hen bij El Paradiso woonde.

Eerst begreep ik niet goed wat El Paradiso was, maar Luna heeft het me uitgelegd. Het is een rondreizend theatergezelschap. Ze trekken door heel Europa en treden overal op. Luna woont al haar hele leven in een van de wagens van El Paradiso. Het lijkt wel een prachtige droom.

Het klonk allemaal heel spannend en we hadden het zo gezellig dat ik bijna helemaal vergat dat ik Tata nog steeds kwijt was. Ik was dan ook heel verrast toen ik ineens vanuit de gang hoorde roepen: LUX, **LUX, LUX!!!**

Tata trok me, door de tralies heen, naar zich toe en knuste me zo hard dat ik

bijna geen adem meer kreeg. Toen bekeek
hij me van alle kanten. Hij glimlachte,
 maar aan de rode kringen rondom zijn
ogen zag ik dat Tata ook gehuild had. Dat
had ik nog nooit gezien. Giechelend stak
ik mijn rode tong naar hem uit. Ik ben
oké. Kijk maar, zei ik. Toen wees ik
 naar de anderen in de cel: Ik heb nieuwe
vrienden gemaakt. Dat is Luna.

Tata's ogen begonnen te stralen. De zon en
de maan, riep hij.
Ik snapte het niet, maar hij legde uit dat
 Luna maan betekent in het Latijn. En Lux
is zon. Jullie horen bij elkaar, zei Tata.

De moeder van Luna vertelde aan Tata wat
 er allemaal was gebeurd.
Hij bedankte haar wel tien keer voor haar
 hulp en zei toen: Ik zal kijken of ik iets
voor jullie kan doen. Lux, wacht jij nog
even hier? Ik ben zo terug.

Ongeveer een halfuur later stonden we met zijn allen buiten. Het was al helemaal donker. We hadden geluk gehad dat de hoofdcommissaris een groot fan van Tata was, want nadat hij een tekening voor hen had gekrabbeld, werden al mijn vrienden zonder veel tegensputteren weer vrijgelaten.

Mijn vreugde was meteen over toen ik Tata het nummer van Marcia zag intoetsen op zijn mobieltje. Natuurlijk gaan we nu weer terug naar haar, dacht ik. Ik was heel even vergeten waar het allemaal mee begonnen was. Gemene Zeur was de laatste die ik nu wilde zien, maar ik klampte me aan Tata vast, want ik was nog veel banger om hen weer kwijt te raken.

Tot mijn GROTE verbazing liep het gesprek anders dan ik had gedacht.

- Ik heb haar gevonden.

  Stilte

- Ik denk dat wij vanavond een ander hotel nemen. Dan kan iedereen even een beetje tot rust komen.

  Lange stilte *

- Nee, het is beter zo. We hebben het er later wel over. Ik bel je morgen.

  Klik.

zeur zeur zeur zeur zeur zeur...

* Ik kan me wel voorstellen wat er van de andere kant van de lijn kwam: zeur, zeur, zeur, zeur, zeur, zeur, zeur, zeur, zeur, zeur, zeur...

Corinne had ook staan luisteren naar Tata's gesprek en zei: Ik nodig jullie uit om bij El Paradiso te komen logeren. Dat is wel het minste wat we kunnen doen nadat je ons uit de problemen hebt geholpen.

  Jaaaaa!!!!!!! riep ik.

→ Hierbij keek ze Brun boos aan.

Tata lachte naar Corinne: Heel graag.

115

EL PARADISO

HALF 4 'S MIDDAGS

Ik wacht al de hele dag tot Tata zegt
dat we weer teruggaan naar Zeur en Meur,
maar hij zegt steeds: Ga maar lekker
even spelen. En dan loopt hij weer weg
met zijn mobiele telefoon aan zijn oor.
Waarschijnlijk om haar te bellen om nog
meer stiekeme plannetjes te maken. Als
ik erover nadenk dat we bij Zeur en Meur
gaan wonen, word ik misselijk, dus ik wil
er niet aan denken. Niet nu. Het is hier zo
gezellig. El Paradiso is geweldig!

We gaan straks zeker weer terug naar het
hotel? vroeg ik net aan Tata.
Hij schudde zijn hoofd.
- Nee, Marcia en Krijn zijn al terug naar
de camping gegaan en hebben onze spullen
meegenomen.

- O... kunnen we dan niet nog één nachtje hier blijven? Alsjeblieft!

Goed nieuws! Ze zijn al een stukje verder weg dan gisteren. Kon dat maar zo blijven. Ik heb aan Tata gevraagd of we |||||||| alsjeblieft nog een nachtje hier kunnen blijven. Hij vond het goed en zou het aan Corinne vragen.

Voor nu is het grote vervelen in ieder geval heel even voorbij. Zo ging mijn dag tot nu toe.

9 UUR VANMORGEN
Wat een verrassing om zo heerlijk wakker te worden! Ik lag in een lekker warm bed in een grote camper en het rook er heerlijk! Naar kruiden en bloemen en verf en gebakken eieren. Toen ik naar buiten liep, zag ik Tata met Carolus, Corinne en Luna aan een tafeltje zitten. Ze dronken koffie en zaten druk te praten.

117

10 UUR

Luna heeft me El Paradiso laten zien en
  me er alles over verteld.

El Paradiso staat op een groot veld bij
  een meertje, een stukje buiten Rome. Nu
tenminste, want over een paar weken
  trekken ze verder naar het zuiden.

De oprichter van El Paradiso was een
  Italiaanse acrobaat, die van het circus
  met pensioen moest, maar nog niet wilde
stoppen met optreden. Met een paar
  bevriende muzikanten is hij op reis
gegaan door Europa. In de verschillende
  landen waar ze voorstellingen gaven,
waren er steeds meer artiesten die zich
bij hen aansloten. Daardoor is El Paradiso
  nu een soort reizend dorpje geworden.

Iedereen woont in een wagen, een camper
  of een woonwagen. Er zijn hele grote bij,
met meerdere kamers. En allemaal geweldig

bos

meertje

schooltje

El paradiso

versierd. De artiesten treden op in de openlucht of in hun eigen circustent. De
meeste bewoners zijn er al heel lang bij, maar sommige reizen voor een korte tijd mee en gaan dan weer terug naar huis. Zo is de groep en ook de optredens ieder jaar

anders. Op dit moment wonen er ongeveer
150 mensen. Luna zegt dat er in de zomer
altijd meer mensen bij El Paradiso wonen
dan in de winter. Iedereen mag dus zo
lang of kort blijven als hij wil. De enige
regel is dat je mee moet helpen aan de
voorstellingen.

12 UUR

Naast het kamp
begint meteen een groot
bos. Met Corinne zijn we
er paddenstoelen gaan
zoeken en ik heb ook een
stekel van een stekelvarken
gevonden.

Ze gaat er vanavond
soep van maken.

Heel mooi, zwart met wit gestreept.
Ook hebben we pootafdrukken van
everzwijnen gezien, maar niet de
zwijnen zelf. Die zitten goed
verstopt, maar Luna zegt
dat je ze 's nachts wel

Volgens
mij was
hij van een
zebravarken ☺

kunt horen rommelen in de bosjes. Best wel een beetje eng, maar dit is geen plek om bang te zijn. Ik heb me nog nooit zo veilig gevoeld als bij El Paradiso.

3 UUR IN DE MIDDAG:

Luna moest naar vioolles en toen ben ik gaan lezen en schrijven.

Dat heeft ze iedere dag, behalve als ze optreden.

Corinne vertelde me over de wagens van het kamp. Waarom ze staan opgesteld in cirkels bijvoorbeeld. Zo is er geen ingang en geen uitgang en kan niemand voor- of achteraan staan. Het is hetzelfde idee als bij koning Arthur en de ridders van de ronde tafel. Iedereen is even belangrijk. Ik wist niet wie Arthur en zijn ridders waren, maar ze heeft me er een boek over geleend. Ik heb al vijf hoofdstukken gelezen en ik vind het heel spannend, maar wel jammer dat ze de hele tijd zoveel vechten en ruziemaken.

Guinevere is de
vrouw van koning
Arthur en ik
vind haar een
beetje stom,
omdat ze me
doet denken aan
Marcia.

4 UUR

We blijven nog een nacht!

Tata zei dat het mag.

En daar komt Luna weer aan. Ik ga het
haar meteen vertellen.

IK WIL MET JE PRATEN...

Vanmorgen werd ik weer wakker, in de
gezellige camper naast Luna. Ze is heel
grappig. Soms vind ik het moeilijk om
haar te verstaan, omdat ze een paar talen
door elkaar lijkt te praten. Luna spreekt
Nederlands (Vlaans) en Engels*.
De kinderen krijgen ook les in het
Engels, dus voor hen is het normaal.
Daarnaast kunnen ze volgens mij allemaal
een beetje Italiaans en Spaans, omdat ze
dat ook veel horen. Voor mij klinkt het
alsof iedereen hier een andere taal
spreekt, maar ze begrijpen elkaar allemaal.

* Dat is de enige taal
die iedereen hier kan.

Io Fiammingo, zei Luna toen ik haar ernaar
vroeg.
Wat bedoel je? vroeg ik. Ben je een
flamingo?

Ze moest lachen. Wat ze eigenlijk had gezegd was Italiaans en betekent: ik ben Vlaans.

Ik vind het fijn als Luna om mijn grappen lacht, want ze is een moppenverteller, dus ze weet wat grappig is.

Tata is nog steeds heel stil, maar hij moet het hier ook wel leuk vinden. Dat kan haast niet anders. Hij heeft altijd veel bewonderaars, maar hier lijkt iedereen een fan van hem te zijn. Het is weer een beetje net als thuis: iedereen kent Tata, maar hij kent niemand. Allemaal willen ze hem ontmoeten, dus dat zal wel snel veranderen.

Nou ja, bijna niemand. Tata en Carolus zijn al snel vrienden geworden. Ze hebben in ieder geval genoeg te bespreken met elkaar, want ze hebben de hele ochtend aan het klaptafeltje voor zijn wagen zitten praten.

Vanmiddag is het veel stiller in het kamp dan gisteren. Bijna alle artiesten zijn Rome in getrokken om op te treden op straat en wat extra geld te verdienen. Eigenlijk wilde ik mee, maar Tata vroeg of ik bij hen wil blijven. Hij wil met me praten... Ik kan wel raden waar het over gaat, want hij heeft nog steeds niets gezegd over het weglopen. Hij is vast heel boos en ik zit er al de hele tijd een beetje op te wachten om flink op mijn kop te krijgen...

Maar nu blijkbaar nog even niet, want we zitten heerlijke in olijfolie gebakken broodjes te eten, die Tea voor ons heeft gemaakt. Tea is de beste kok van de wereld Zij kookt bijna iedere dag voor iedereen hier. Volgens Corinne is ze de moeder van heel El Paradiso, omdat ze zo zorgzaam is. Ze is ook de lerares van de kinderen die bij El Paradiso wonen.

Net als ik hebben ze nu zomervakantie,
  maar de rest van het jaar krijgen ze
iedere dag les in de regenboogwagen.

Een uur later:
Ik zat rustig te schrijven, toen Tata
  opkeek van zijn krant:
- Hoe vind je onze vakantie?
- Wat bedoel je? Wilde je daarover praten?
  Vandaag gaan we zeker weer terug naar de
  camping?

Tata keek me met een overdreven serieus
en bezorgd gezicht aan:
- Ik was het wel van plan.

Ik zuchtte diep:
- Ik zou graag nog wat langer hier willen
  blijven.
- Lux, je moet me beloven om nooit meer
  weg te lopen. Ik ben me rot geschrokken!
  Ik moet er niet aan denken wat er had

kunnen gebeuren als Carolus je niet had
gevonden.

Eigenlijk vind ik niet dat Carolus
mij heeft gevonden. Ik heb hem en
zijn familie gevonden, maar dat heb
ik maar niet gezegd.

- Oké, ik beloof het. Geloof me, ik vond er
zelf ook niets aan. Ik was heel bang!

Tata knuste me heel hard.
- Tata?
- Ja?
- Gaan we echt bij Zeu..., ik bedoel Marcia
en Krijn wonen?
- Nee! Als jij dat niet wilt, blijven we
gewoon in ons atelier. Marcia en ik
hadden nog helemaal niets besproken
over samenwonen. Ik denk dat ze het ook
zei om je een beetje te pesten. Vanwege
dat gedoe bij het ontbijt, weet je nog?
- Wat een kreng.

Alsof ik het zou
kunnen vergeten?

Daar ging Tata niet op in,
maar zijn ogen verraadden
dat hij het wel een beetje
met me eens is.

127

- Krijg ik geen straf?
- Nee, dat lijkt me niet nodig. Toch?
- Terug naar de camping is al straf genoeg voor mij. Mag ik niet hier blijven logeren en dat je me dan aan het einde van de vakantie komt halen?
- Vind je het echt zo erg op La Fontana?
- Ja!
- Ik zal met Marcia en Corinne overleggen of we nog een paar dagen hier kunnen blijven, maar ik laat je niet meer alleen. Ik zal mijn meisje niet twee keer tijdens één vakantie kwijtraken!

Iets later hoorde ik van een afstandje dat Tata Zeur aan het bellen was op zijn mobiel. Aan zijn reactie te horen was ze totaal niet blij dat we nog een tijdje bij El Paradiso wilden blijven, maar hij heeft haar toch overgehaald, want voor hij ophing, hoorde ik hem zeggen: Tot over een paar dagen dan, ik bel je nog wel.

Super-de-puper! Nou nog hopen dat Corinne en Luna het goed vinden, maar ik kan me niet voorstellen van niet. Luna heeft zelf gezegd dat ze het heel gezellig vindt dat ik er ben en volgens mij is Corinne een beetje verliefd op Tata. Ze kijkt de hele tijd naar hem, maar hij heeft niets in de gaten. Als hij niet met Carolus zit te praten, is hij bezig met zijn schetsen voor het paleis van meneer Bodega of aan het bellen.

WE BLIJVEN EEN WEEK!

Dit is al onze vierde dag in het kamp.

Toen Tata aan Corinne had gevraagd of we nog wat langer mochten blijven, begon ze te glimmen en knikte heel hard van ja. Jullie blijven de hele week, riep ze vrolijk. Volgens mij was het niet Tata's bedoeling om zó lang te blijven, maar toen hij mij en Luna samen juichend en springend over het grasveld zag stuiteren, heeft hij zich er naar bij neergelegd.

Luna en haar moeder spelen allebei geweldig goed viool. Ik heb ze al een paar keer zien oefenen. Als ze muziek maken, gaan hun strijkstokken soms zo snel heen en weer dat je bijna niet meer kunt zien dat ze de snaren raken. In de voorstellingen dansen en zingen Luna en Corinne ook veel, maar Luna wil eigenlijk het liefst moppenverteller worden. Ik weet zeker dat ze het hele publiek aan het lachen zou kunnen krijgen. Ze kent ontzettend veel moppen. Alleen Belgenmoppen vindt ze niet leuk. Ze vertelt haar favoriete mop aan iedereen. Volgens mij kennen alle mensen in het kamp hem allang, maar ze lachen toch. De mop gaat zo:

Wat is het toppunt van geduld?
Antwoord: op je kop gaan staan en dan wachten tot je sokken afzakken.

Vanmorgen heeft Luna me nog veel meer moppen verteld. Ik schrijf er snel een paar op, want anders kan ik ze nooit onthouden:

MOP 1. Er lopen twee zandkorrels in de woestijn. Zegt de ene tegen de andere: O nee, we zijn omsingeld!
      * Dit is mijn favoriet

MOP 2. Twee zakken cement lopen op straat. Zegt de ene tegen de andere: Bah, het regent. De ander zegt: Maakt niet uit, daar word je hard van.

MOP 3. Het is zwart en zwemt in de zee. Antwoord: zoute drop.

Het is groot en zwart en zwemt in de zee. Antwoord: dubbel zoute drop.

Het is enorm en zwart en zwemt in de zee. Antwoord: niet te vreten.

132

Voor Luna is alles een feest. Volgens mij is ze nog nooit bang of verlegen geweest. Ze kent overal in het kamp geheime plekken en is de beste huttenbouwer die ik ken. Ik ben precies een maand ouder dan Luna, maar bijna een kop groter. Ik ben jarig op 13 mei en zij op 13 juni.

Gisteren hebben we een hut gebouwd tussen twee bomen aan de bosrand. Luna was erg onder de indruk van alle dingen die ik in de zakken van mijn tuinbroek bij me had. Vooral het zakmes met een schaartje en een zaagje erop was handig. Eerst hebben we met vier lange stokken de hoekpalen gemaakt, die we in de grond staken en vast hebben gezet door er grote stenen tegenaan te leggen. Daarna hebben we kortere stokken gezaagd voor de zijkanten en uiteindelijk de hut afgemaakt door er een groot blauw zeil overheen te spannen. Het is een heel sterke hut en

onze hut

we hebben een deurtje geknipt in een van de zijkanten, dat we met een touw weer dicht kunnen binden. We zouden er vannacht in gaan slapen, maar het woei zo hard dat we toch naar terug zijn gegaan naar de wagen. Vanavond gaan we het weer proberen!

Ik kan Luna Flamingo trouwens al veel beter verstaan. Ik ben snel aan haar gekke taaltje gewend geraakt, ook doordat alle kinderen hier zo praten. Als we volgende week teruggaan naar Meur en Zeur kan het stinkdier mij misschien ook niet meer verstaan. Dat zou handig zijn: een geheimtaal die alleen Tata en ik begrijpen!

DE WAGENS

Vanavond is er een optreden in de tent op
het kamp. Iedereen is druk bezig met de
voorbereidingen, dus ik heb eindelijk weer
eens tijd om te schrijven.

Gisteren hebben Luna en ik Slim geholpen
om zijn wagen te beschilderen. Het is
een klein vrachtwagentje. Heel gezellig,
met een keukentje en alles erin. Ieder
jaar maakt hij hem aan de buitenkant
weer anders. Dit keer kwamen er allemaal
verschillende beesten op die muziek aan
het maken zijn. Zo is de wagen geworden:

Ik dacht altijd dat Tata een grote dierenvriend was, maar Slim houdt meer van zijn honden en zijn slang dan van wie ook. Ik weet niet hoe Slim in het echt heet, maar iedereen noemt hem Slim, terwijl dat eigenlijk de naam is van zijn slang. Ik denk dat het beest wel een meter lang is, maar volgens Slim minder gevaarlijk dan een puppy. Tijdens de voorstellingen speelt Slim op een fluit en dan komt de slang uit een mand omhooggekropen. Net als bij een echte fakir. Hij heeft het voorgedaan en het ziet er heel spannend uit.

Ik snap niet hoe die slang zo recht omhoog kan kruipen, de lucht in!

Slim heeft ook nog vijf honden, allemaal verschillende. Hij oefent allerlei trucs met ze. Hij heeft er een paar voorgedaan. De honden kunnen zelfs in een piramide boven op elkaar gaan staan. Zo lief!

Dit is Slim. Hij is een soort albino. Dat is iemand met een spierwitte huid en spierwit haar.

De nieuwe muziek-dieren-wagen van Slim
is niet de enige van El Paradiso die er zo
vrolijk uitziet. Bijna alle campers,
woonwagens, caravans, truckjes en auto's
die je hier ziet, zijn beschilderd.
Ze zien er allemaal bijzonder uit, maar
die van Carolus vind ik de spannendst.
Zijn camper is knalrood met spierwitte
spinnenwebben. De spinnenwebben zijn
geschilderd, maar de spinnen die erin
zitten zijn opgeplakte knuffeldieren.
Carolus woont alleen in zijn spinnen-
wagen. Ik weet niet waar Luna's oma
is. Misschien leeft ze niet meer, net

als mama. De vader van Luna leeft nog wel, maar die kent ze niet. Hij is een zakenman uit Antwerpen, die niets met El Paradiso te maken wil hebben. Luna kan het volgens mij niet veel schelen, ze heeft hier zoveel vrienden dat ze hem niet nodig heeft.

In ieder geval heeft ze een heel bijzondere opa. Carolus is een grote man, met een zwarte, krullende baard en ogen die tegelijkertijd kunnen lachen en grommen. Er is geen leider van El Paradiso, maar als er wel een was, zou het zeker Carolus zijn. Niet alleen omdat hij de oudste is, maar vooral omdat alle anderen tegen hem opkijken.

Volgens Luna is Carolus de beste violist van de wereld, maar hij is wel een heel strenge leraar. Als hij speelt, stampt hij met zijn voet heel hard het ritme mee.

Carolus

Een paar andere mooie wagens:

Katinka, Saar en Tim zijn acrobaten.
Hun wagen is beschilderd als een jungle,
met grote groene bomen en bladeren,
papegaaien en andere gekleurde vogels,
apen die aan lianen slingeren en een rivier
die helemaal rondom loopt. De wagen lijkt
een beetje op een van mijn tuinbroeken.

junglewagen

Saar en Katinka kunnen heel goed
koorddansen, maar Tim is vooral goed in
de trucs op de grond. Tim heeft geen vader,
maar wel twee moeders: Saar en Katinka.
Hij is tien jaar en een echt stuk! Ik
vind hen héééééél aardig en vond het
geweldig toen hij me
gisteren vroeg of ik hen
tijdens Luna's
vioolles wilde
helpen bij zijn
training. Het was
super! Ik heb op zijn
voeten gevlogen en
salto's gemaakt in de lucht. Tim zegt dat
ik een goede acrobaat zou kunnen worden.
Ik ben bang dat ik daar te klunzig voor
ben, maar wil het zeker proberen!

Brun heeft een schildpad gemaakt van
zijn camper. Hij heeft er nog steeds
spijt van dat hij ruzie heeft gemaakt met

de agent in Rome, maar ik heb hen gezegd
dat ik er juist blij om ben, want
    anders zou ik hier nu niet zijn. Brun is
een beetje een knorrepot, maar zodra hij
op zijn contrabas speelt, straalt hij net
    als de rest van zijn familie. Luna zegt
dat hij ongeduldig is en er niet tegen kan
    wanneer hij zijn zin niet krijgt.
Volgens mij valt het met dat ongeduld wel

nee, want het is vast heel veel werk
geweest om zo'n prachtige wagen
te maken. Op zijn Turtula (zo noemt
hij zijn camper) heeft hij een rond
dak gebouwd, dat het schild van de
schildpad voorstelt. De stuurcabine is
de kop van de schildpad en om de
wielen zitten kappen, zodat ze net op
schildpadpoten lijken.

schildpad
wagen

mijn wagen

Als ik bij El Paradiso woonde, zou ik
mijn wagen net zo maken, alleen dan
geen schildpad maar een olifant.
Trouwens, vergeleken met de meeste
mensen die ik thuis ken, is Brun zelfs
een vrolijke clown...

EEN OPTREDEN IN DE GROTE TENT

Gisteravond was er dus een optreden in de tent. Er kwamen heel veel mensen uit de stad, die zich mooi hadden aangekleed om een avondje uit te gaan. Ik mocht extra lang opblijven, want dit wilde ik natuurlijk niet missen. Tata en ik hadden een ereplaatsje gekregen, helemaal vooraan. Het voelde bijna of we meededen.

Luna, Corinne, Carolus en Brun kwamen als eersten op. Samen met nog een aantal andere muzikanten: Anton Krul (de man van Tea) en zijn kinderen: Marcus, Bella, Anna en Lucia. Anton speelt gitaar, zijn dochters saxofoon en klarinet en Marcus is de drummer. Samen waren ze een heel orkest.

Anton was vroeger een echte rockster, maar toen hij Tea ontmoette, heeft hij het wilde leven achter zich gelaten. Het zijn heel lieve mensen, die erg veel over God praten.

Ze speelden, zongen en dansten zo vurig dat veel mensen in het publiek gingen staan en meeklapten. Toen ze klaar waren, gingen ze niet van het podium af, maar ernaast zitten, om ook de andere optredens te begeleiden.

Daarna was Renco aan de beurt met zijn tapdansshow. Hij kan zijn voeten vliegensvlug bewegen, terwijl de rest van zijn lichaam vrijwel helemaal stil blijft. Hij zei tegen het publiek dat hij zijn lievelingsdans ging doen: de Sjin-Sjan-Sjinnie. De dans moet uitbeelden dat hij een rivier oversteekt en dan van de ene denkbeeldige boomstam op de andere moet springen om niet in het water weg te zakken. Renco is een Fransman en draagt altijd een pak.

Toen kwamen de acrobaten. Tim was geweldig! Eerst deden zijn moeders (Saar en Katinka) een koorddansact boven in de tent. De muzikanten hadden snel een net eronder gespannen, maar gelukkig viel er niemand. Daarna deed Tim een paar heel moeilijke trucs op de grond, samen met Nico en Marianne.

Het volgende optreden was van Slim met zijn slang en honden. Het was zo knap allemaal en tijdens de grote voorstelling in de tent vond ik het nog veel spannender dan toen hij het buiten had voorgedaan.

Nico en zijn vrouw zijn ook acrobaten. Ze komen net als Tata en ik uit Amsterdam. Marianne is vroeger ballerina geweest en Nico gaf les op de circusschool. Drie jaar geleden gingen ze naar een voorstelling van El Paradiso. Ze zijn daarna nooit meer weggegaan.

In de pauze werden er veel drankjes en
   snoep verkocht. Corinne stond achter
een kraampje, waar ze zelfgemaakte
   sieraden verkocht. Ze zijn heel mooi!
Het was zo druk dat Tata en ik haar gingen
   helpen. Corinne heeft beloofd dat ze voor
mij ook een ketting zal maken.

Koendert en Teun deden na de pauze samen
hun clownsnummer. Teun herkende ik
meteen* toen hij opkwam, want hij zag er
niet veel anders uit dan anders. Ze waren
ontzettend grappig en zelfs Tata** plaste
bijna in zijn broek van het lachen. Ze zijn
behoorlijk onhandig. Naast al die sierlijke
dansers en artiesten valt dat extra op.
Voor mij wel goed, want daardoor lijk ik
misschien ietsje minder klunzig.

* Koendert draagt alleen zijn clownspak als ze
optreden, maar Teun heeft altijd een rode neus op
   en schoenen met flaptenen aan.

** Hij begint langzaan weer een beetje te
ontdooien, nu hij ook even verlost is van
   het gezeiker van Zeur.

De muzikanten en dansers deden
samen nog een nieuw nummer en aan
het einde werden de goochelaar Smith
en zijn assistent Candy door Marcus
aangekondigd, met hard tromgeroffel. Het
werd voor het eerst helemaal stil in de
tent. Smith toverde allerlei dieren
tevoorschijn: duiven, konijnen en zelfs

een groot varken kwam uit een houten kist gewandeld, die net daarvoor nog leeg was.

Door met zijn vingers te knippen, deed Smith steeds lichtjes aan en uit, die los door de lucht zweefden. Het leken enorme vuurvliegen. Aan het einde toverde Smith ook nog de stoelpoten van alle stoelen op de eerste rij weg, zonder dat er iemand op de grond viel. Ik snapte er niets van.

Luna zegt dat Smith overal geheimzinnig over doet. Ik snap wel dat hij zijn trucs niet uitlegt, maar zelfs over zijn voornaam doet hij geheimzinnig.

Het laatste optreden was van drie Russische zusjes, die ONGELOOFLIJK lenig zijn. Ze kunnen zichzelf op allerlei manieren in de knoop leggen. Het ziet er onmogelijk en ook een beetje griezelig uit, vind ik. Katarina, Monica en Zara zijn slangenmensen, heeft Luna me verteld. Ze zijn opgegroeid in een Russisch weeshuis,

met een heel gemene vrouw, van wie ze
   iedere dag heel veel moesten trainen,
zodat ze ze later als circusartiesten
zou kunnen verkopen. Daarom zijn ze nu zo
lenig. Ze bemoeien zich niet veel met de
andere bewoners van het kamp, maar
   zitten bijna altijd samen te kaarten in
hun met roze bloemen beschilderde
   caravan.

WAT DOEN ZEUR EN MEUR HIER?

Nog helemaal in de roes van weer een
heerlijke nacht zonder stank werd ik
vanmorgen wakker. Ik bleef in bed liggen
en pakte mijn krabbelboek erbij, maar
voordat ik was begonnen met schrijven
dacht ik even dat ik weer in slaap was
gevallen en een nare droom had gekregen,
want ik hoorde de stem van Marcia. Ik zal
me wel vergist hebben, dacht ik net,
toen ik haar hoorde roepen: TATA, WAT
IS DIT VOOR CIRCUSTOESTAND?

Ik sprong de wagen uit en zag dat het
helaas geen droom was. Voor de wagen
zaten Tata en Corinne. Zij was kralen
aan het kleien en hij zat te tekenen. Ik
keek om me heen, in de hoop dat ik het
toch verkeerd had gehoord, maar zag toen
Zeur van de overkant van het veld op ons

af komen rennen. Meur met een knalrood verbrand gezicht achter haar aan. Marcia struikelde de hele tijd, omdat haar naaldhakken bleven steken in het gras. Eigenlijk was het wel een grappig gezicht, maar op dat moment kon ik er niet om lachen. Dit betekende het einde van onze heerlijke tijd bij El Paradiso, dat wist ik zeker. Het kon niet anders dan dat de zeurkoningin het allemaal weer kwam verpesten.

Tata stond op en wilde Marcia tegemoet lopen, maar met een hysterische sprong landde ze al in zijn armen: Ik heb je zo gemist, SCHAT!
Hij zette haar neer en zei verbaasd: Wat doen jullie hier?

- Ik vond dat de hele toestand nu wel lang genoeg heeft geduurd. We komen jullie halen. Luxie is nu toch wel bijgekomen?

- Ik heb haar beloofd om een week te
  blijven.

Zeur had duidelijk een warner welkom
  verwacht, want haar stem werd steeds
  feller.

- En ik dan? Je hebt mij toch ook beloofd
  om met me op vakantie te gaan?
- Het is allemaal een beetje anders
  gelopen. Lux vindt het hier zo heerlijk
  en om eerlijk te zijn kan ik hier zelf
  ook heel prettig werken.

Ze wees naar Corinne.

- O ja, met haar zeker? Ik wist wel dat
  er iets anders aan de hand was! Je gaat
  heus niet zomaar bij zo'n onbetrouwbare
  zigeunerbende logeren.
- Marcia, maak nou geen scène. Jij bent
  toch geen 8?
- Nou, het is toch een vieze troep hier! Of
  niet soms?

- Nou is het mooi geweest. Deze mensen
  zijn Lux' en mijn vrienden en die laat ik
  niet zomaar beledigen.

Inmiddels stonden een hoop mensen op
  een afstandje te kijken wat er gebeurde.
Niemand begreep wat deze hysterische
Barbie hier deed. Tata pakte Marcia's arm
  en trok haar mee. Samen verdwenen ze
uit het zicht.

 Krijn stond verslagen tegenover me.
- Hoi, zei hij.
- Hoi.
- Komen jullie nog terug naar de camping?
- Ik hoop het niet.
- Ik ook niet.
- Wat is dit voor circus?
- El Paradiso is geen circus! Hier wonen
  artiesten.
- O.

Corinne stapte op ons af. Ze gaf Meur een stoel. Wil je iets drinken?

Hij schudde zijn hoofd, maar ging wel zitten. Toen zei hij niets meer, maar keek vol aandacht naar alles om zich heen.

Zoiets gezelligs had hij waarschijnlijk nog nooit gezien. Ik had Marcia en Krijn altijd stom gevonden, maar pas nu ik ze hier tussen al mijn bijzondere vrienden zag, begreep ik dat ze nog saaier waren dan ik dacht.

Het duurde wel een halfuur voordat Tata en Marcia terugkwamen. Zij had rode ogen en hij staarde ook erg verslagen voor zich uit. Zonder nog iets tegen mij of iemand anders te zeggen, greep Marcia Krijn vast en vertrokken ze weer.

Wat is er gebeurd? vroeg ik toen ze uit het zicht waren.

Tata aaide me over mijn hoofd. Ga maar

met Luna spelen, zei hij en hij begon
weer te tekenen zonder verder iets te
vertellen.

Ik kon de spanning bijna niet aan, maar
pas aan het eind van de middag hebben we
er verder over gepraat.

- Lux, het spijt me heel erg. Ik zag niet
  hoe vervelend ze deed. Ik zag het gewoon
  niet.
- Zie je het nu wel?
- Ja. Het is uit tussen mij en Marcia. Je
  hoeft je geen zorgen meer te maken.

Het is uit! UIT, UIT, UIT!!!! ☺

Ik wil de zeurkoningin eigenlijk zo snel
mogelijk vergeten, maar was toch wel
heel nieuwsgierig naar wat er allemaal was
gebeurd, dus vroeg ik het aan Tata. Hij
ging languit in het gras liggen en vertelde

dat hij erg boos was geworden op Marcia.
- Ze stormt zomaar binnen en heeft geen
enkel respect voor de mensen hier.

Is het niet geweldig!? Tata
is boos op Marcia. Hoera,
hoera, hij is terug!

- Ben je niet meer verliefd op haar?
- Nee! Ze wilde jou en Krijn naar
kostschool sturen, zodat we samen
konden gaan wonen.

Ik sputterde: Naar kostschool? Wat een
kreng!

Tata was het er helemaal mee eens.
- Een monsterlijke feeks!
- Een boze heks!
- Een bevroren ijskoningin!
- Een valse draak!
- Een ijdeltrut!
- Een stinkaap!
- Een kattiger-dan-kattig-kop!
- Een rot-rot-rot-rot-mens!

159

We rolden samen over het gras van het lachen.

- Ik ben blij dat je weer terug bent, Tata.

- Ik ook! En ik wil het goed maken met je. Wat dacht je ervan als ik morgen met jou en je vrienden een tocht in een luchtballon ga maken?

- Ja, ja, ja!!!!

VANUIT DE LUCHT IS ALLES ANDERS

De wereld lijkt ineens weer de goede
kant op te draaien. Heerlijk! Mama
had helemaal gelijk.

Vanmorgen hebben we lekker uitgeslapen.
Tata en Corinne kwamen aan het eind
van de ochtend in een geel busje
toeterend het terrein op rijden.
Bijna alle kinderen uit het kamp gingen
mee op onze ballonnentocht. Tim ook!

We reden naar Monte Canpani en
parkeerden bij een bord in de vorm van
een pijl, met een geel-rode streep
erop.

We moesten een stukje klimmen
om bij het stationnetje te komen
vanwaar de luchtballon zou vertrekken.
Wandelend volgden we een tijdje de

geel-rode strepen de berg op, die bij elke
splitsing op een boom of steen
stonden, om ons de weg te wijzen.
Onderweg zongen we bijna de hele tijd
liedjes. Corinne kende er zoveel,
steeds kwam ze weer met een nieuwe en
zong de hele stoet mee. Heel gezellig!

Dat moet heel zwaar voor iemand zijn
geweest, om met een emmertje gele
en een emmertje rode verf omhoog te
klauteren, want het was behoorlijk
steil en mijn voeten gleden steeds weg
in het zanderige pad.

Na een halfuurtje konden we de ballon al
op een afstandje zien liggen, maar pas
toen we dichterbij kwamen, zagen we
hoe groot hij was. Tata had een
enorme luchtballon met een
ballonchauffeur gehuurd. De ballon was

helemaal oranje. Tata en ik
   moesten denken aan een van onze
lievelingsboeken: De reuzenperzik van
Roald Dahl.

   Zo moet onze ballon er vanaf de grond
uit hebben gezien: een gigantische perzik
of sinaasappel, die heel stil in de lucht
                  hangt.

In een luchtballon vliegen is echt top,
   vet, cool, lijp, super, gaaf! Het is zo
rustig en stil bovenin de lucht dat je
   er zelf ook rustig en stil van wordt.
Wat moet het fijn zijn om een vogel te
                  zijn!

Ik had nooit gedacht dat ik het zou
   zeggen, maar toen we tussen de wolken
zweefden en over het hele bos bij het
   kamp uitkeken, hoorde ik ineens uit
mijn eigen mond komen: Wel een beetje

zielig voor Krijn, hè Tata. Het zou je moeder naar zijn.

Hij glimlachte en antwoordde: Of je vriendin... Dan moet je wel heel dom zijn!

Tata keek ineens weer serieus.
- Kun je het me vergeven?
- Kijk niet zo! Ik ben juist zo blij dat ik de echte Tata weer terugheb.
- Maar vergeef je het me?
  Ik glimlachte.
- Alleen als we de rest van de vakantie bij El Paradiso blijven.
- Ik kan me niets mooiers voorstellen.

We hadden allemaal een topdag. Na de ballonvaart hebben we gezwommen, kanogevaren, een zandballen gevecht gehouden en met onze vingers tekeningen in het zand gemaakt.

Gelukkig hoeven we ook niet meer terug naar de camping om onze spullen op te halen. Tata laat Marcia alles naar huis opsturen. Hier hebben we het toch niet nodig, zei hij.

IK HEB EEN BESTE VRIENDIN

Wat een supervakantie! Die wensfontein is
fantastisch!

Vannacht hebben Luna en ik eindelijk in
 onze hut geslapen. Het was heel gezellig
en we hebben elkaar verhalen verteld bij
 het licht van onze zaklantaarns. Luna
kan goed vertellen en toen het net heel
spannend werd, hoorden we plotseling
 een wild zwijn knorren vlak buiten de
hut. We schrokken allebei zo erg dat we
bijna tegen het dak aan sprongen. Daarna
 moesten we zo hard lachen dat we
het zwijn waarschijnlijk wel hebben
weggejaagd. Voor de zekerheid hebben we
toen toch nog een uurtje gewacht met
naar buiten te gaan, tot we zo nodig
moesten plassen dat we het niet meer
konden ophouden.

Luna is de beste vriendin die ik ooit heb gehad! Gelukkig heeft zij ook zomervakantie, anders moest ze elke dag naar de regenboogschool van Tea. Nu heeft ze alleen een uur per dag vioolles van Carolus. Verder speelt ze de hele dag met mij.

ZE ZEGT DAT IK OOK HAAR BESTE VRIENDIN BEN!

Op de regenboogschool zitten vijftien kinderen. Ze kunnen bijna allemaal een instrument bespelen, dansen of acrobatentrucs doen, zoals Tim. Van Tea leren ze rekenen, taal, aardrijkskunde en geschiedenis. De regenboogschool is een van de grootste wagens van El Paradiso, maar toch is

tim

het vergeleken met de lokalen van mijn school in Amsterdam nog steeds heel klein. Achter elk wandje of gordijn zit iets dat uitgeklapt kan worden tot een extra tafeltje, landkaart of schoolbord. Daarom alleen al moet het leuk zijn om daar naar school te gaan. Overal zitten verrassingen verstopt. Toch krijgen de kinderen van El Paradiso het grootste deel van de tijd buiten les. Daar is meer ruimte om te bewegen en te ontdekken, zegt Tea.

Het jongste kind op de regenboogschool is Lucia. Zij is vijf jaar en een van de dochters van Tea. De oudste is Candy, een vijftienjarig Chinees meisje dat door Smith is geadopteerd, nadat hij haar zwervend in Napels had gevonden.

Luna speelt altijd veel met Tim, Marcus, Florine en Clara, maar ze zegt dat ze het met mij nog veel leuker vindt. Elke dag gaan we zwemmen in het meertje naast het bos. Langs de kant liggen veel stenen en modder, waardoor het soms een heel gewaggel is om in het water te komen, maar als je er eenmaal in ligt, is het heerlijk. Het water is lekker koud en voelt zacht aan je huid. Luna kan wel zwemmen, maar niet zo goed als ik. Ze heeft nooit echt les gehad, maar het van Corinne geleerd. Ik ben Luna aan het leren borstcrawlen en reddingzwemmen. Ik heb dat geleerd voor mijn diplomazwemmen.

De beste grap die we hebben uitgehaald, heeft Luna natuurlijk bedacht. Van karton hadden we de pootafdrukken van een enorme wolf gemaakt. 's Avonds, toen niemand het in de gaten had, hebben we daarmee door het hele kamp pootafdrukken in de modder gemaakt. De volgende ochtend ging iedereen op zoek naar de reuzenwolf, maar natuurlijk vonden ze hem niet. Ik weet niet of de anderen echt hebben gezocht of alleen deden alsof, maar het was nog steeds wel heel grappig.

Ik heb net weer acrobatentrucs geoefend met Tim. Als hij op zijn rug op de grond ligt met zijn handen in de lucht, kan ik op één gestrekt been erbovenop staan. En als hij me dan in de lucht gooit, maak ik een salto voordat ik weer op de grond land. Ik ben minder klunzig dan ik dacht en zou heel graag ook acrobaat willen worden! Het is wel lastig oefenen, omdat ik altijd een beetje zenuwachtig en duizelig word als Tim in de buurt is.

Pffffff, wat is het warm vandaag!
Ik ga kijken of Luna al klaar is
met haar vioolles en ook zin
heeft om te gaan zwemmen.

HET TONEELSTUK

Ik ben weer terug op aarde. Gisteren kon
ik alleen maar denken aan hoe fijn het
is dat Marcia weg is uit ons leven. Ik
vind het nog steeds super-vet-cool, maar
vind het heel jammer dat het pas aan het
einde van onze vakantie is gebeurd. Nu gaan
we al bijna weer naar huis. Ik word heel
verdrietig als ik daaraan denk.

Samen met Corinne en Tata hadden
Luna en ik vanmorgen een toneelstuk
ingestudeerd voor Carolus. Het was een
cadeau voor zijn verjaardag en hij zei dat
hij het heel mooi vond. Het toneelstuk
ging over een boze stiefmoeder, twee
prinsessen en een prins. Corinne speelde
de boze stiefmoeder, wat ik eigenlijk een
beetje zielig voor haar vond, want ze is de
allerbeste en liefste moeder op de hele
aarde.

Tata was de prins en Luna en ik
  de prinsessen.

Ik denk dat Corinne aan me zag dat ik
niet zo blij was, want ze vroeg of ik
  heimwee naar huis had. Ik knuste haar
en vertelde dat het juist andersom was
  en ik niet weg wilde van El Paradiso.
Toen haalde ze een ketting met paarse en
  rode kralen uit haar zak, die ze voor me
had genaakt. Ze hing hem om mijn nek.
  Als je hem draagt, zei ze, ben je altijd
een beetje bij ons. Daar werd ik wel weer
  wat vrolijker van.

Morgen gaan we terug naar Amsterdam.
  Het zal thuis vast ook wel een beetje
leuk zijn, nu Tata weer normaal is
geworden en we van Marcia zijn verlost,
  naar ik zou zo graag nog wat langer hier
willen blijven. Natuurlijk is het ook leuk
  om Kin weer te zien, naar eigenlijk wil ik

liever bij Luna blijven. Ik probeer maar zo min mogelijk te denken aan weggaan.

Tata is totaal niet verdrietig. Hij lijkt juist voor het eerst in tijden weer helemaal de avonturier die hij altijd was. Hij zegt dat hij geen liefdesverdriet heeft van Marcia. Dat heeft hij al gehad in de afgelopen week dat ze apart waren. Toen hij haar weer zag, was het hen eigenlijk meteen duidelijk dat ze niet bij elkaar horen en ook nooit bij elkaar hadden gehoord. Hij heeft me zelfs bedankt dat ik hen heb geholpen om een grote fout te voorkomen, door bij haar te gaan wonen. Een beetje gek vond ik dat wel, want ik had al zo vaak gezegd dat ze stom was en toen luisterde hij niet en nu ineens wel. Volwassenen zijn daar een beetje anders in, maar ik vind het allang best zo.

Volgens mij heeft Tata ook eindelijk in de
gaten dat Corinne hem wel iets meer
dan gewoon aardig vindt. Sinds Marcia is
vertrokken heeft hij nauwelijks meer
gewerkt. Ineens heeft hij wel tijd om
leuke dingen te doen en zij is er de hele
tijd bij. Luna en ik ook, hoor!

AFSCHEIDSFEEST

Speciaal voor onze laatste avond
  had Carolus met de anderen een
verrassingsfeest georganiseerd. En wat
voor een feest!

OOK EEN PAAR NUMMERS VAN ELVIS!

Er werd natuurlijk heel veel muziek
  gemaakt en ik heb bijna de hele avond
gedanst. Vooral met Luna, maar ook met de
anderen en zelfs even met Tim. Natuurlijk
  wilde ik ook met Tata dansen, maar daar
kreeg ik niet veel kans voor, want hij
  danste bijna alleen maar met Corinne.

Tea had een heerlijk feestmaal gemaakt
met gevulde paddenstoelen uit het bos,
  broccoli met kaassaus, tomatensalade
en heel veel verschillende soorten pizza.
  Het was allemaal even lekker, maar toen
ze laat op de avond met een gigantische

chocoladetaart aan kwam lopen, werd ik
ineens weer heel verdrietig. Natuurlijk
had ik wel zin in de taart, maar ik
voelde ook dat dit het einde van het feest
betekende. En het einde van het feest
betekende het einde van de vakantie. En
het einde van de vakantie betekende het
einde van ons verblijf bij El Paradiso. En
dat betekende het einde van mijn
vriendschap met Luna. We kunnen elkaar
natuurlijk wel schrijven en bellen, maar
dat is toch niet hetzelfde.

Ik kon mijn tranen niet meer inhouden en
wilde het eigenlijk ook niet. Ik zakte
op het gras in elkaar en zat daar als
een baby te snikken en te jammeren boven
mijn bordje met chocoladetaart. Luna
kwam naar me toe en sloeg haar armen
om me heen. Ze begon heel zachtjes een
liedje te zingen. Corinne kwam ook bij
ons zitten en toen zij mij zag huilen,

moest ze ook huilen. En toen Luna haar
moeder zag huilen, moest ook zij huilen.
We huilden steeds harder en harder en
toen Tata naar ons toe kwam, sloegen we
alle vier onze armen om elkaar heen en
huilden als vier wilde wolven.

Het idee om nu alweer afscheid te moeten
nemen, was bijna het verschrikkelijkste
wat ik kon bedenken. Weer terug naar die
saaie school, met die saaie kinderen.
Wonen in een echt (saai) huis, in een
saaie straat.

We huilden en huilden, tot ik ineens zag
dat Tata zich losmaakte, rechtop ging
staan en zijn petje omdraaide. Een warm
gevoel trok door me heen. Terwijl Luna en
Corinne gewoon door gingen met huilen,
hield ik me stil en wachtte gespannen
af. Tata had een idee, een goed idee.
Misschien wel een geweldig idee?

Ik wist dat er iets spannends ging gebeuren. Was de avonturier in Tata echt weer helemaal wakker geworden?

Ik trok aan zijn lange jas en riep: Vertel, vertel! Je hebt een epifanie!

Zo schrijf je het. Heb het aan Smith gevraagd. Hij zegt dat het betekent dat je plotseling duidelijk en helder ziet wat echt belangrijk is.

Voorzichtig keek Tata mij en Corinne om de beurt aan. Ik hield het bijna niet meer en had het gevoel dat ik zou ontploffen van de spanning. Wat dan????

Tata had het aller-aller-beste idee ooit: we gaan bij El Paradiso wonen!!!

Bijna alle tranen waren meteen verdwenen, behalve de mijne. Gek genoeg moest ik nu

ineens nog harder huilen. Van opluchting
of zo. We juichten, dansten en knusten
   allemaal met elkaar. Toen lieten Tata en
Corinne ons los en ze zoenden elkaar. Heel
lang en klef, net zoals het staat
   beschreven in het boek van Krijn.

Luna pakte mijn hand: Kom mee, huilebalk.
   Samen renden we terug naar de anderen,
die nog steeds dansten en taart aten.
   Luna sprong boven op de tafel en riep zo
hard als ze kon: Ze blijven bij El Paradiso!
   Het werd even een beetje stil en iedereen
keek Luna aan, tot ze begrepen wat er aan
   de hand was. Nee, het is geen mop, zei ze.
Tata en Lux komen echt bij ons wonen. Is
   het niet super? We moeten een nieuw
feest geven, een welkomstfeest!

Daarna weet ik niet meer precies wat er allemaal gebeurde, maar iedereen begon elkaar te zoenen en te omhelzen. Het

was een feest zoals alle feesten zouden moeten zijn! Ik kan me niet eens meer herinneren dat ik ben gaan slapen.

Volgens Tata zijn Luna en ik naast elkaar in het gras in slaap gevallen en hebben hij en Corinne ons later naar bed gedragen. Ik zou nog uren kunnen vertellen over hoe heerlijk het allemaal was, maar ik ga nu snel mijn spullen pakken, want Tata en ik moeten de trein halen.

TERUG NAAR AMSTERDAM

Het is echt waar, hoor! We gaan ons echt aansluiten bij El Paradiso. Ik kan het nog steeds bijna niet geloven. We gaan alleen naar huis om een paar dingen te halen: het mobileum (onze aquarium-camper) en mijn olifantendoosje met de brief van mama. Ook moet Tata nog een aantal dingen regelen, zoals het verhuren van ons huis.

Ik maakte me eerst een beetje zorgen, want om bij El Paradiso te mogen wonen, moet je meewerken aan de optredens. Hoe moest dat dan? Gelukkig had Tata er al over nagedacht. Hij zou voortaan alle decors en posters schilderen. Bovendien vond Carolus het goed voor het imago van

El Paradiso als er een beroemde kunstenaar bij hoorde. Iemand als Tata trekt publiek, had hij gezegd.

En ik? Ik word acrobaat! Eerst alleen nog maar als hulpje, maar Tim, Saar en Katinka hebben beloofd om me mee te laten trainen en al hun trucs te leren.
Wat zal het allemaal spannend worden! Ik kan bijna niet wachten.

Verder krijg ik na de zomer natuurlijk ook les van Tea, samen met de andere kinderen. Luna zegt dat Tea de liefste juf is en veel meer weet dan iedereen denkt. Ik heb me er nog nooit op verheugd om naar school te gaan, maar nu wel. Het is ook de eerste keer dat ik naar school ga in een regenboogwagen, waarvan de

motorkap beschilderd is met taarten,
ijsjes en snoep. Een soort Hans-en-
    Grietje-school. Ik moet nog wel beter
Engels leren, maar Tata zegt dat dat
    vanzelf zal gaan. Dat is denk ik ook wel
zo, want ik kan het nu al een klein beetje.

Tata gaat samen met Corinne in haar
    wagen wonen. Ze zijn heel erg verliefd.
Tata heeft mij gevraagd of ik het goed
    vind als Corinne zijn vriendin is en
hij bij haar gaat wonen. Hij wilde niet
weer dezelfde fout maken als met Marcia.
Natuurlijk vond ik het goed! Meer dan goed!

Ik vroeg me af of hij verliefd is op
    Corinne omdat ze een beetje op mama
lijkt of dat het juist is omdat ze
    helemaal niet op Marcia lijkt. Allebei

een beetje, zei Tata, maar vooral omdat Corinne op Corinne lijkt. En hij heeft helemaal gelijk. Corinne is super!

Voor mij en Luna gaan ze een nieuwe wagen maken, die met een trekhaak achter die van hen wordt vastgemaakt. Tata heeft beloofd dat het de olifantwagen wordt. Als Luna dat tenminste ook wil, maar dat denk ik wel. Ze mag er wel een paar noppen bij schilderen. 😊   En het mobilem wordt Tata's reizende atelier.

Ik heb ook eindelijk aan Tata gevraagd wat Etrusken zijn. Het zijn eigenlijk gewoon heel oude Italianen. Ze woonden van ongeveer de negende tot de eerste eeuw voor Christus (bijna 2000 tot 3000 jaar geleden) in een stuk van Italië, waar Rome ook in ligt. De Etrusken hebben heel veel tempels gebouwd en kunst gemaakt. Daarom vindt hij ze zo interessant.

We zijn al voorbij Brussel. Over twee uur zijn we thuis. Tenminste, wat vroeger thuis was. Tata en ik hebben bijna de hele reis over ons nieuwe leven gepraat en honderden plannen gemaakt. Ik verheug me er al op om ze aan Luna te vertellen.

Het zal niet makkelijk worden om Kim en oma te vertellen over onze verhuizing naar El Paradiso, maar ik denk dat ze het wel zullen begrijpen. En als ze ons komen opzoeken, willen ze zelf vast ook nooit meer weg.